STAY TUNE/D

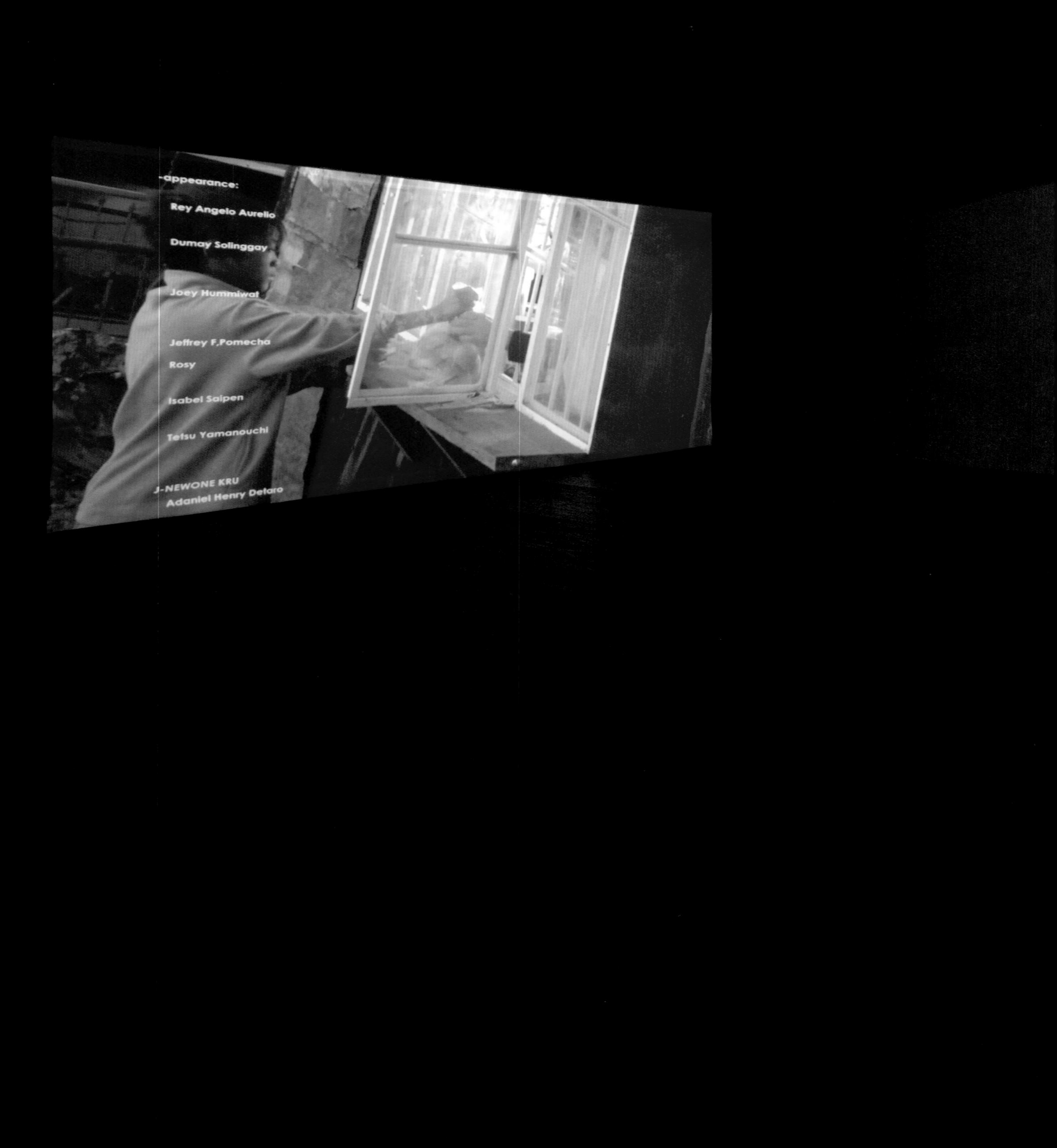

八幡亜樹

Aki Yahata

iaPandesal 2013　2014年

what kind of story were you looking for ?

What are the things you saw ?

Are there things that you wanted the world to see ?

What did you discover that may change how the world look at things ?

What did you want to know ?

What the answer did the world tell you ?

The only thing I'm sure is .. you had Pandesal for your last meal ..

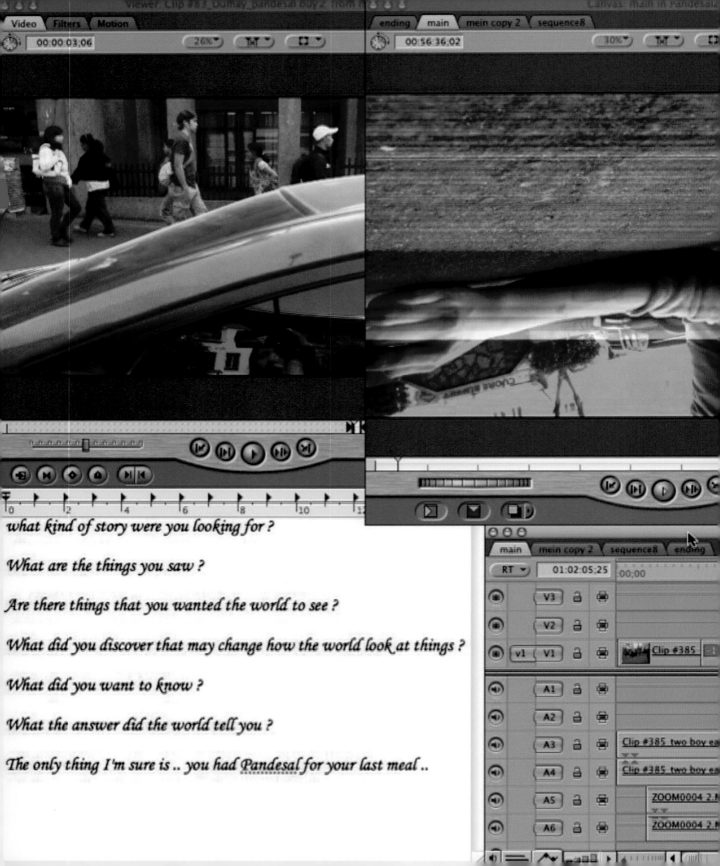

Tool Bench
Scopes
Frame Viewer
01:02:05;25
01:01:32;27
Viewing: n/a
None
V-Split
Swap
H-Split
Timeline: main in Pandesal2013
01:01:00;02
01:02:00;04
01:03:00;06
01:04:00;08

a regular time to partake
the Spanish salted bread,
私達がいつも、
"あの"スペインの塩パンを食べる時間―
Written by Hiroyuki MIZUGUCHI
poem: Dumay Solinggay
-appearance:
Rey Angelo Aurelio
Dumay Solinggay
Joey Hummiwat
Jeffrey F.Pomecha
Rosy
Isabel Saipen
Tetsu Yamanouchi
Gabrielle Colin Plasabas
Eleazer Corpuz
Anjoshua Sabado
Kevin Kigis
Mickey Paolo Yatar
Kyle Cayabyab
John Adi
Keanu Allen Carig
Patrick Yves Ventura
Pia Estillore
Leo
Kevin Kigis
Joshua Gumpic
Medric Piacos
Mickey Paolo Yatar
Kyle Cayabyab
John Adi
Keanu Allen Carig
Patrick Yves Ventura
Pia Estillore
Leo
Arturo Alcesto
Dexter k.Mi-ing
Dumay Solinggay
Joey Hummiwat
Jeffrey F.Pomecha
Rosy
Isabel Saipen
Tetsu Yamanouchi
J-NEWONE KRU
Adaniel Henry Detaro
Pheith lena Ballug
Patrick Yves Ventura
Kay Megan Tieng Kierulf
Gabrielle Colin Plasabas
Winniefreia Bongbonga
Rene Bongbonga
andesal 2013
music composer: Hiroshi MURAKAMI
singer:
Geremire
Jun Takanishi
ending song original lyrics:
research adviser: Santos Bayucca
story of the musical is based on;

original lyrics: Vincent...
research adviser: Santos Bayucca
story of the musical is based on:
"JUNGLE OF NO MERCY - Memoir of a Japanese Soldier"
Written by Hiroyuki MIZUGUCHI
poem: Dumay Solinggay
-appearance:
Rey Angelo Aurelio
Dumay Solinggay
Joey Hummiwat

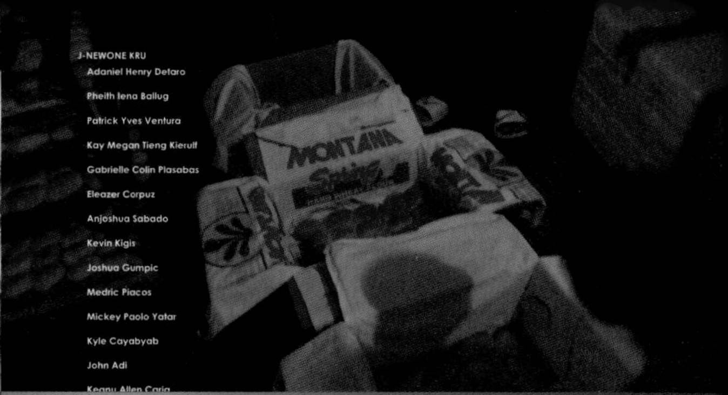
J-NEWONE KRU
Adaniel Henry Detaro
Pheith Iena Ballug
Patrick Yves Ventura
Kay Megan Tieng Kierulf
Gabrielle Colin Plasabas
Eleazer Corpuz
Anjoshua Sabado
Kevin Kigis
Joshua Gumpic
Medric Piacos
Mickey Paolo Yatar
Kyle Cayabyab
John Adi
Keanu Allen Caria
MONTANA

poem: Dumay Solinggay
-appearance:
Rey Angelo Aurelio
Dumay Solinggay
Joey Hummiwat
Jeffrey F.Pomecha
Rosy
Isabel Saipen
Tetsu Yamanouchi

-special thanks to
Kidlad Tahimic // vocas / Oh my guray
Mariko Sorimachi // Cordillera Green Network
Shingo Takagi // BONDS English Academy
Santos Bayucca
Jason Domling
Ash Yago Velasco
Lucas Bemdol Roco
Alfonso Bucalen jr.
Jeferson Mahiiyo
Roel Cabato

-appearance:
Rey Angelo Aurelio
Dumay Solinggay
Joey Hummiwat
Jeffrey F.Pomecha
Rosy
Isabel Saipen
Tetsu Yamanouchi
J-NEWONE KRU
Adaniel Henry Detaro

Kaori Hoya
Yousuke Matsumori
AJL Bakery
Lydia Aspren
Jennifer H. Borromeo
Chayapan Hotel Bontoc
Samoki Valley Bakery
Reymart Bongbonga
Winniefrela Bongbonga
Rene Bongbonga
比島戦没者之碑

Alfonso Bucalen jr.
Jeferson Mahiiyo
Roel Cabato
Rheymart Wayan Avena
Satoko Taira
Norimasa Sato
Robert D.De Leon
Kenzo Yanaka
Chiyo Ogino
Tomoko Izumoya
Keiko Aoi
Ronaldo Pioquinto

my cousin and I would parade our styro
boxes filled with hot pandesal.
私といとこは、暖かなパンデサルで一杯の
スチロールの箱を抱えて練り歩く。

曽根裕 Yutaka Sone

画面中央：
Sculpture Garden with
Gardener, page 52
2016年
作家蔵

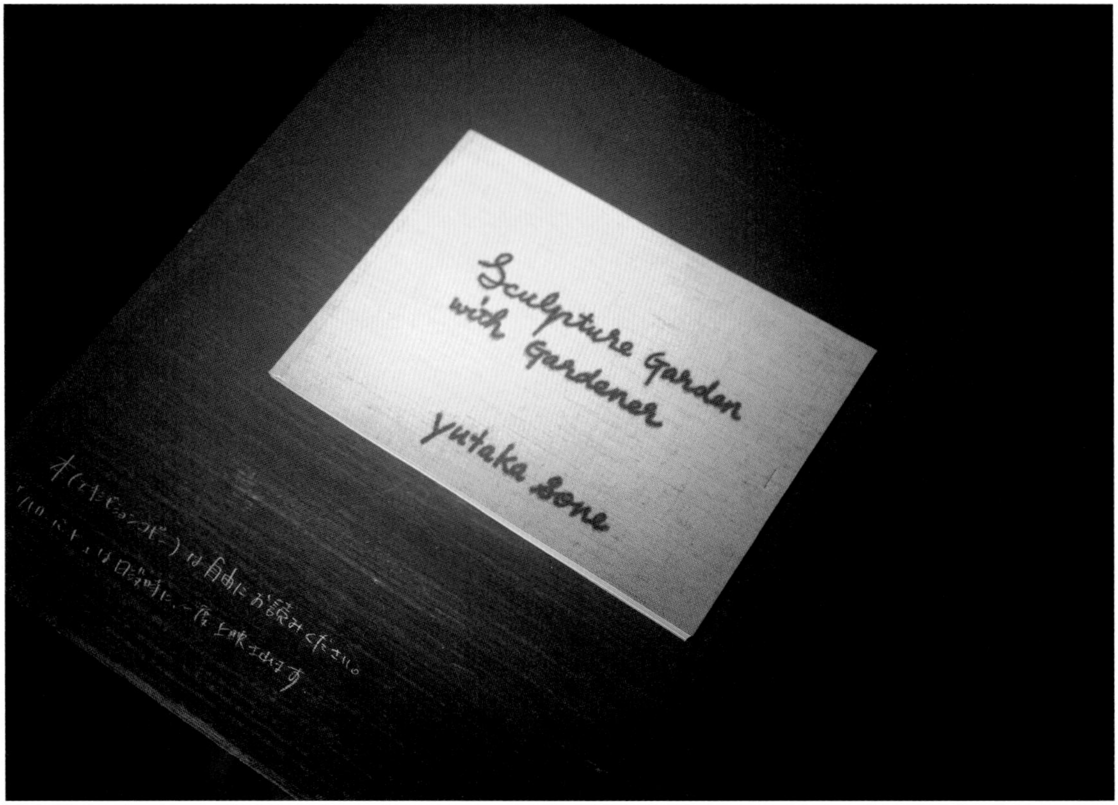

スカルプチャー・ガーデン・ウィズ・
ガーデナー
1999年
本展では、エキシビジョンコピー
（2019年製作、データ提供：金沢
21世紀美術館）を展示した

ドローイング（バット）
2019年　作家蔵　部分

設営：足立雄亮、加藤康司、鈴木葉二、土方大

ハロー・バット　1999年　金沢21世紀美術館蔵　音楽：山辺義大

里見宗次

Mounet Satomi

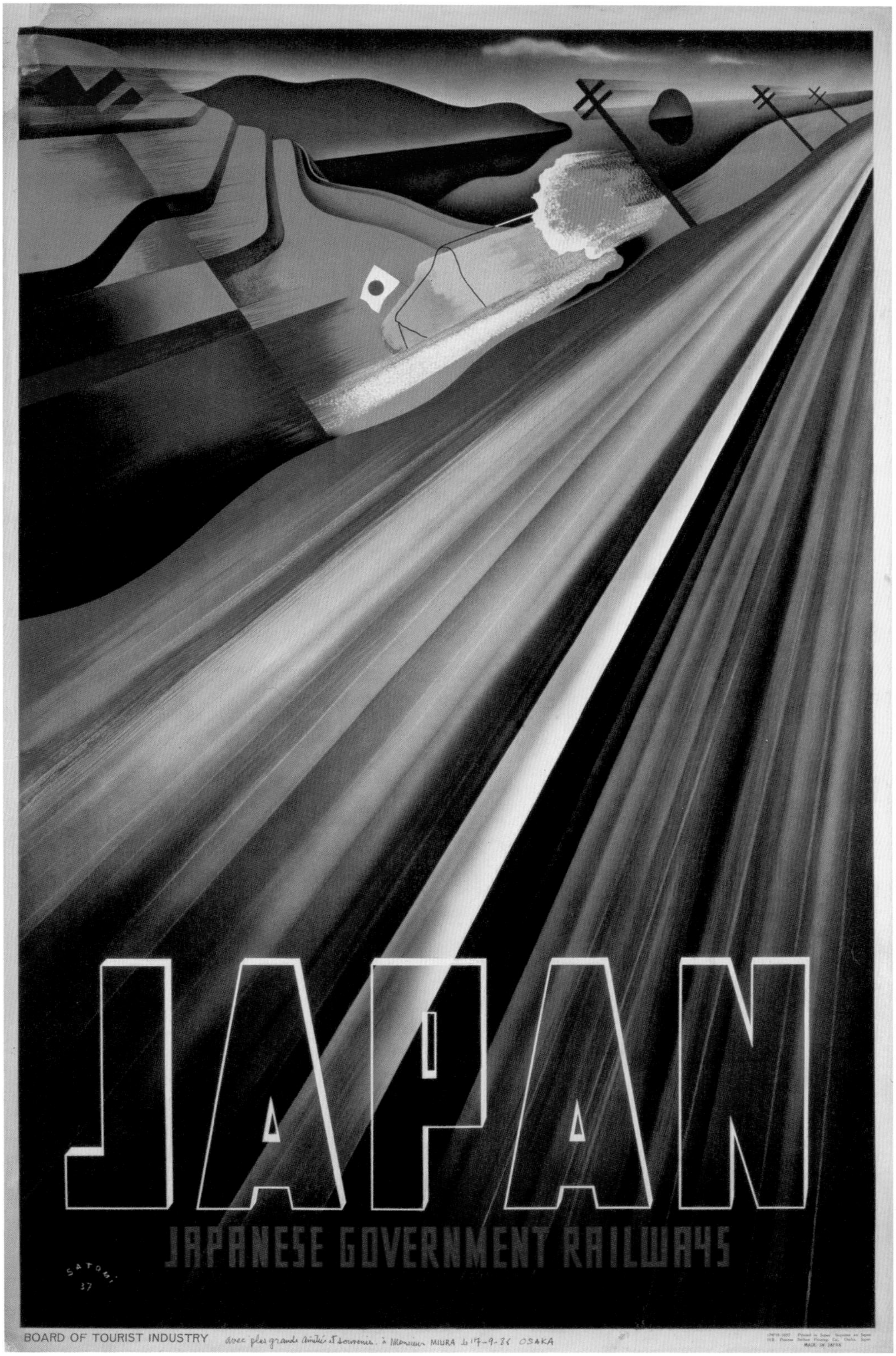

JAPAN　1937年　京都工芸繊維大学 美術工芸資料館蔵　AN. 4846-01

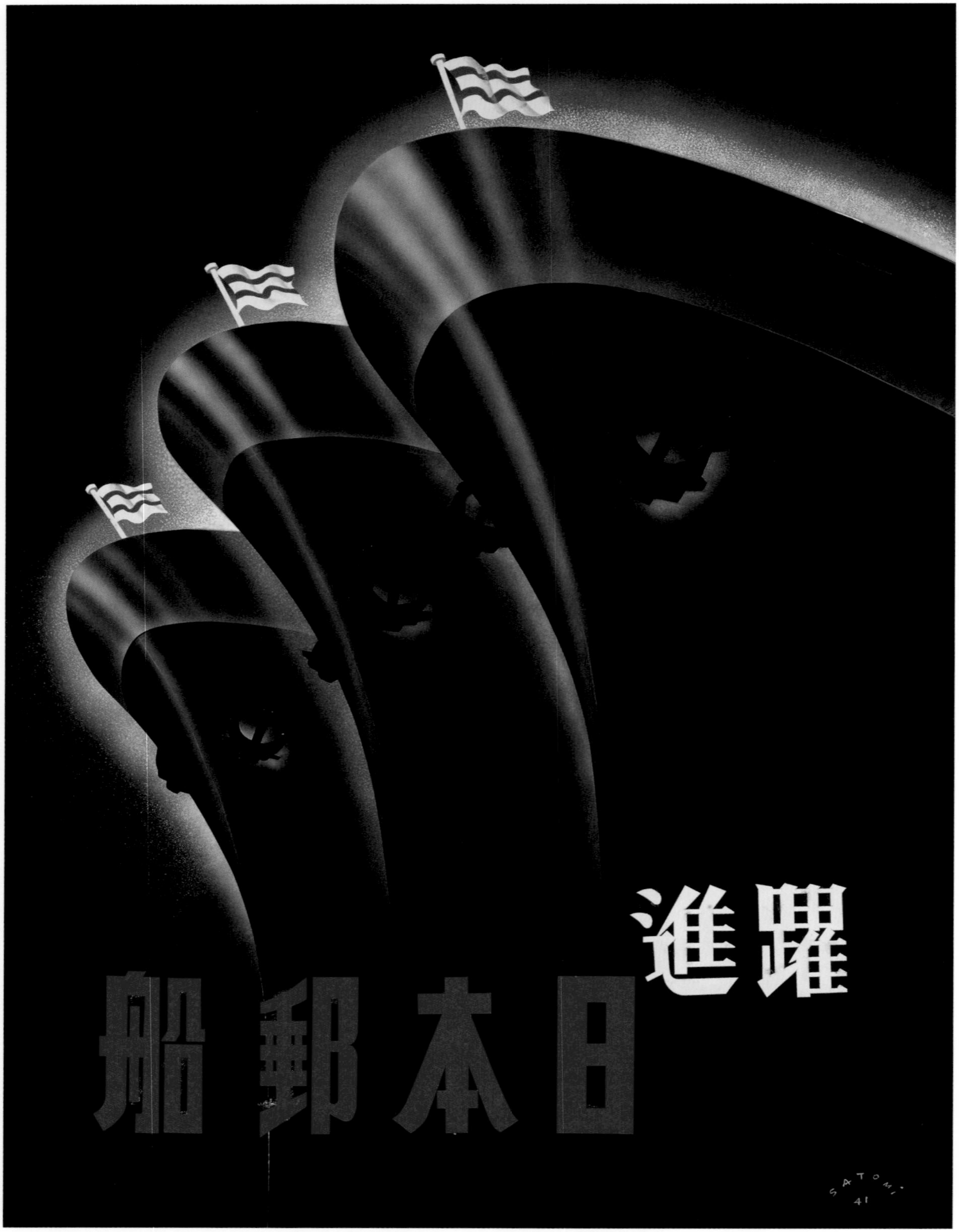

躍進日本郵船　1941年　京都工芸繊維大学 美術工芸資料館蔵　AN. 4725-24

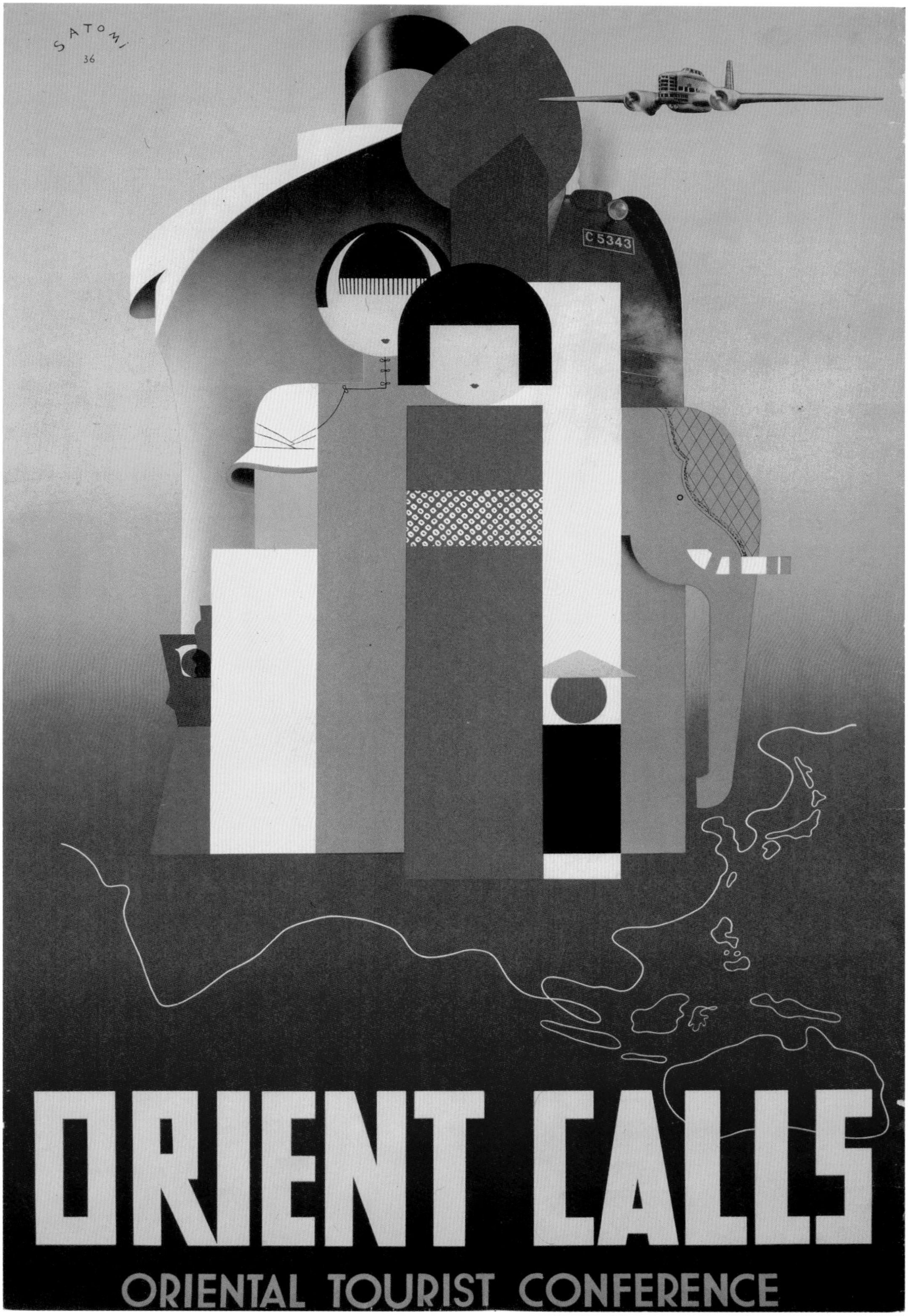

ORIENT CALLS　1936年　京都工芸繊維大学 美術工芸資料館蔵　AN. 4846-02

FOIRE DE SAIGON（サイゴン市博覧会） 1942年 京都工芸繊維大学 美術工芸資料館蔵 AN. 4725-26

Cours de la Thailandaise（タイ文化講座） 1943年 京都工芸繊維大学 美術工芸資料館蔵 AN. 4725-27

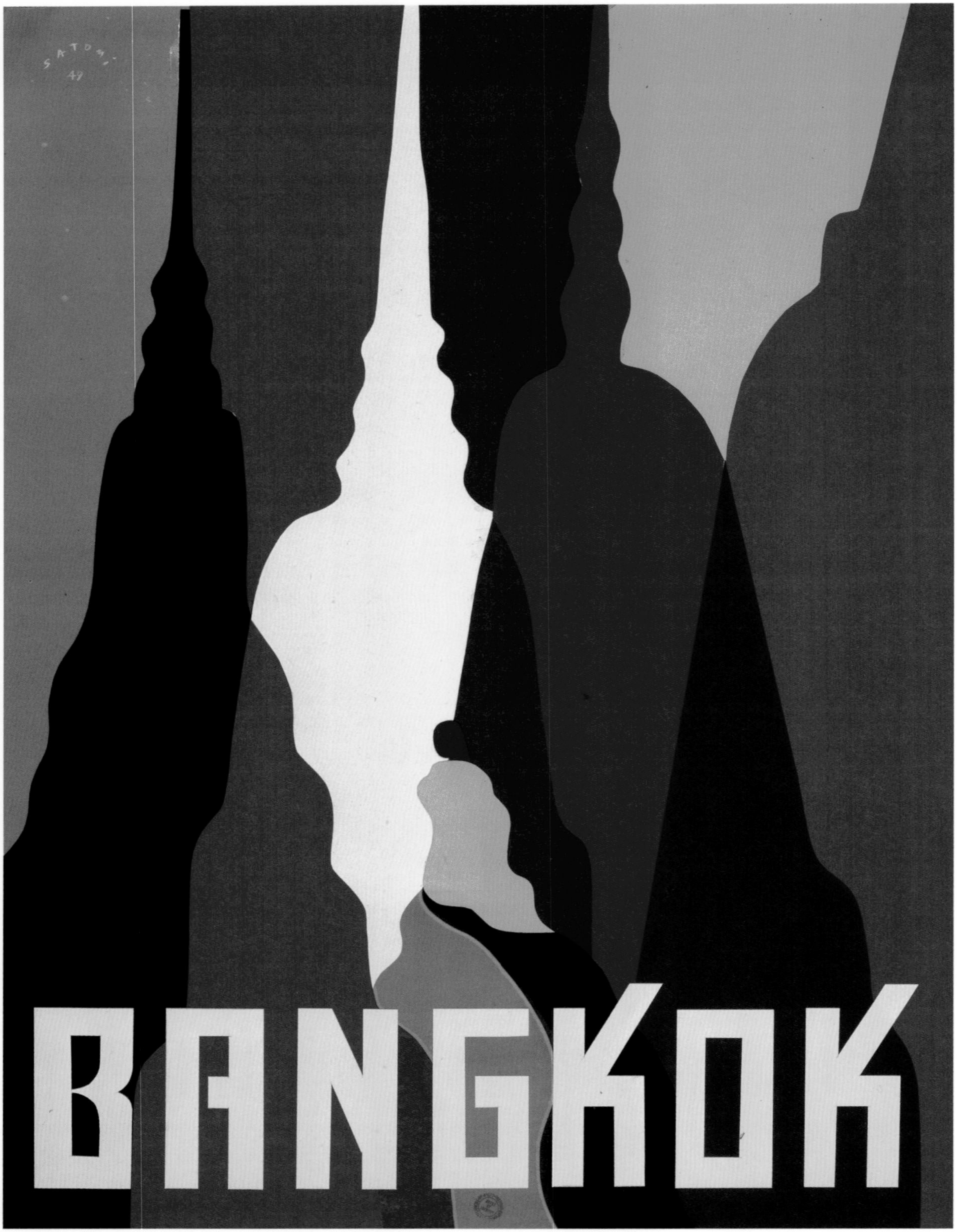

BANGKOK　1949年　京都工芸繊維大学 美術工芸資料館蔵　AN. 4725-28

aokid

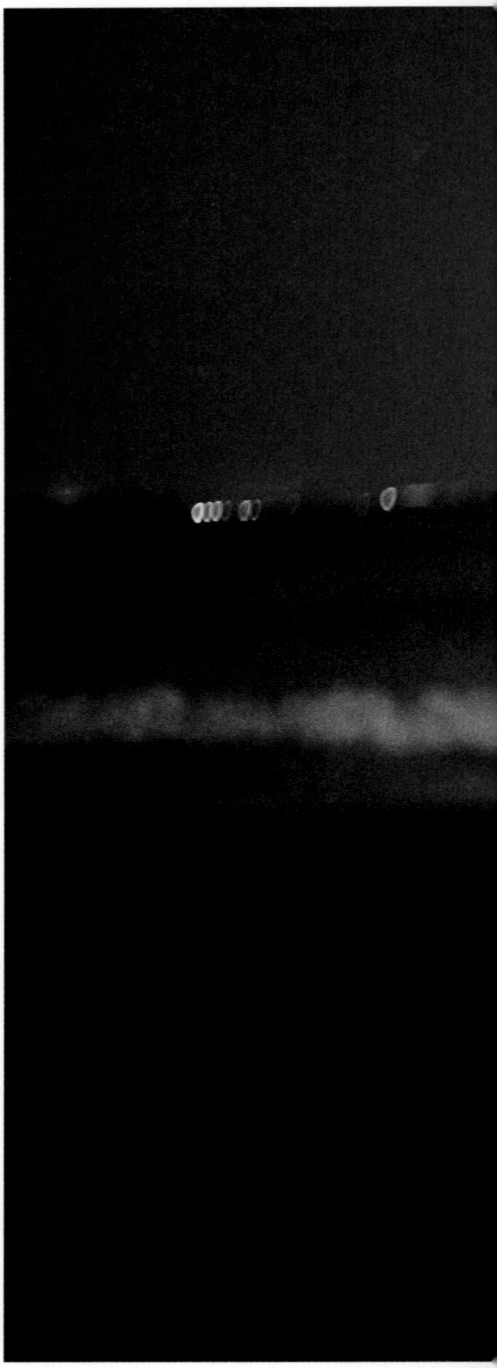

track.1「START SONG」
2019.10.4 17:00- at 江ノ島

track. 3 と 3.5「Calm car tetorapot blues」（+ Bonus Track）
2019.10.29 at 竹野原
映像：comuramai, 橋本麻希

track.4「2Mt」
2019.11.14 10:30- at 大室山
映像：石原新一郎

track.5「Good morning over there / そちらは朝ですか」
2019.11.24 07:15- at 庄川
映像：八幡亜樹

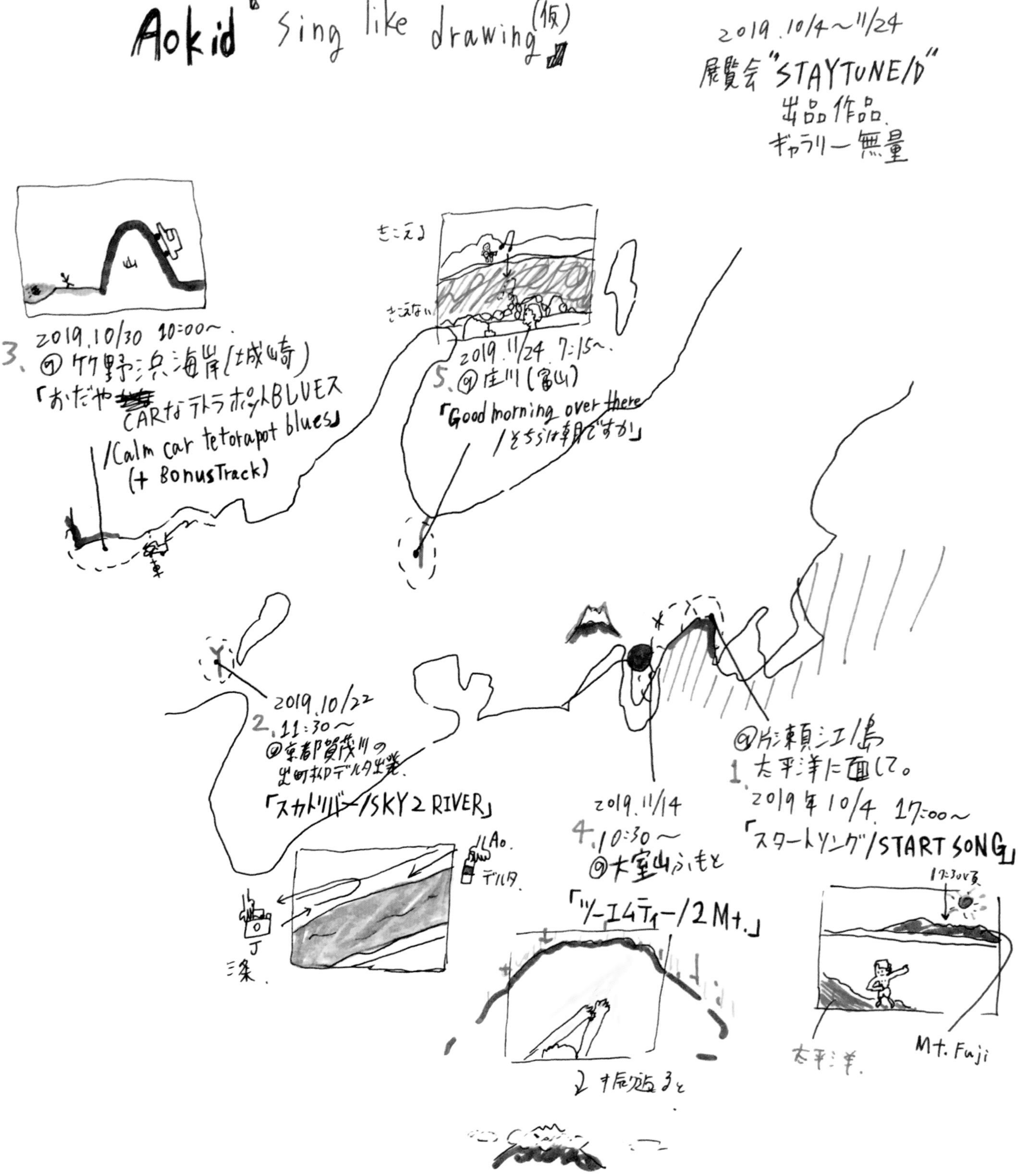
Aokid「Sing like drawing（仮）」
2019.10/4〜11/24
展覧会"STAYTUNE/D"
出品作品.
ギャラリー無量
3. 2019.10/30 10:00〜.
@竹野浜海岸(城崎)
「おだやCARなテトラポッドBLUES
/Calm car tetorapot blues」
(+ BonusTrack)
きこえる
きこえない
5. 2019.11/24 7:15〜.
@庄川(富山)
「Good morning over there
/そちらは朝ですか」
2019.10/22
2. 11:30〜
@京都賀茂川の
出町柳デルタ出発.
「スカトリバー/SKY 2 RIVER」
Ao.
デルタ.
J
三条.
2019.11/14
4. 10:30〜
@大室山ふもと
「ツーエムティー/2Mt.」
振り返ると
@片瀬江ノ島
1. 太平洋に面して。
2019年10/4. 17:00〜
「スタートソング/START SONG」
17:30くらい
太平洋.
Mt. Fuji

ドローイング（Sing like drawing（仮）） 2019年 作家蔵

大和田俊 Shun Owada

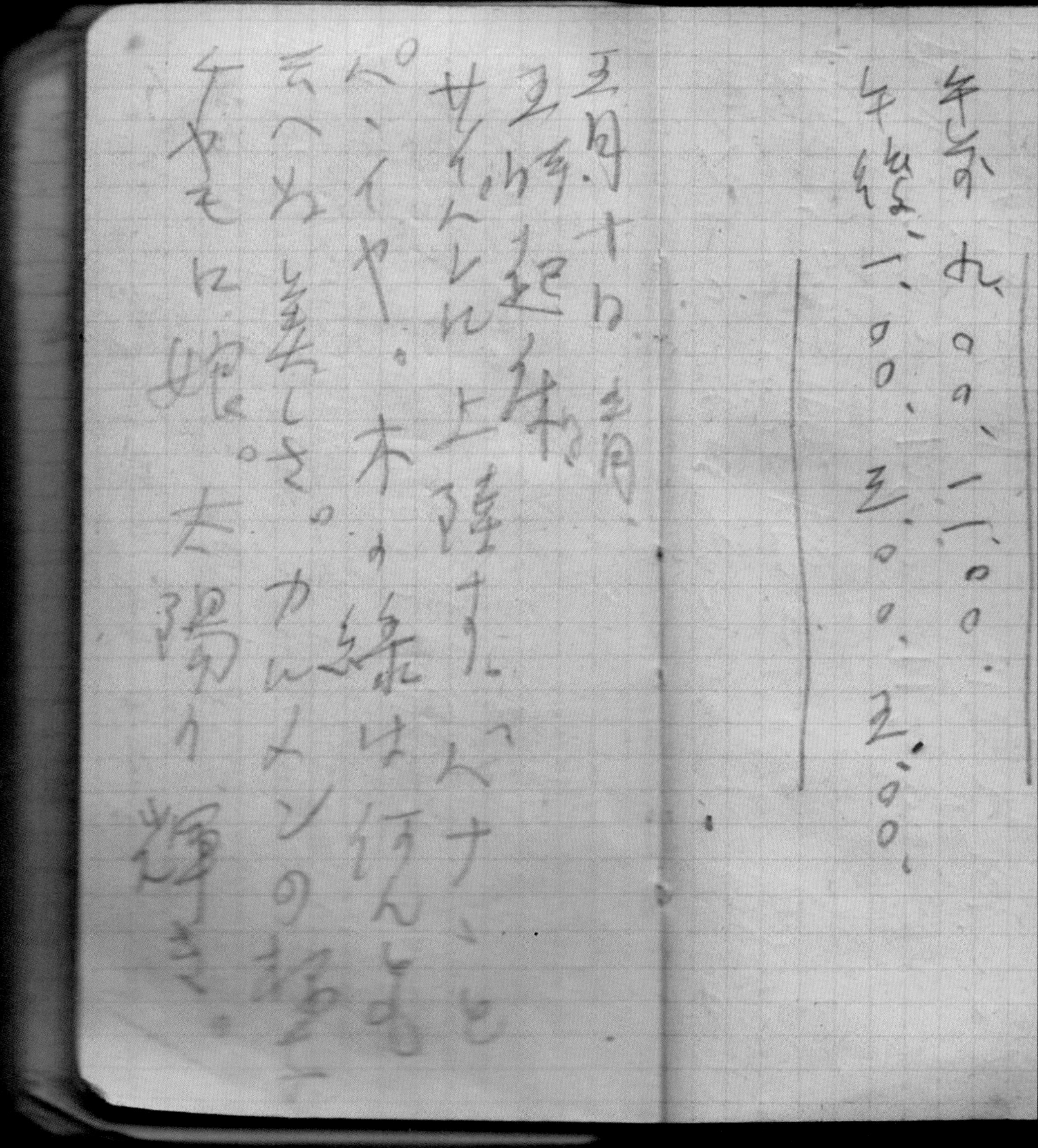

1. 日記　1941年　個人蔵

池ノ内篤人
Atsuhito Ikenouchi

2. 沖浦にて　1928年　個人蔵　204×260 mm
3. 沖浦にて（裏面）　1928年　個人蔵

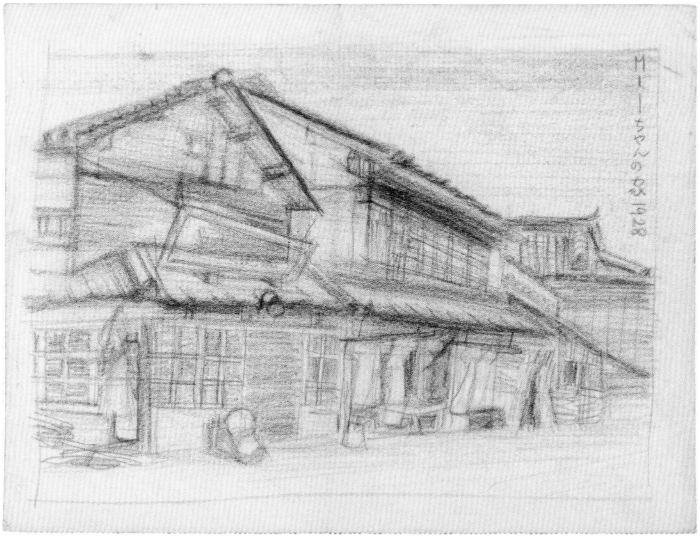

4. 川端××MIIちゃんの家　1928年　個人蔵　204×260 mm
5. 川端××MIIちゃんの家（裏面）　1928年　個人蔵
6. MIIちゃんの家　1928年　個人蔵　204×260 mm

7. NINI展資料　ポスター下書き　1933年　個人蔵　230×165 mm

8. ナイス・モーニング　1933年　板橋区立美術館蔵　158×129 mm

9. 作品　1932年　姫路市立美術館蔵　1299×970 mm
10. 作品1　1932年　姫路市立美術館蔵　908×730 mm
11. 作品2　1932年頃　姫路市立美術館蔵　900×728 mm

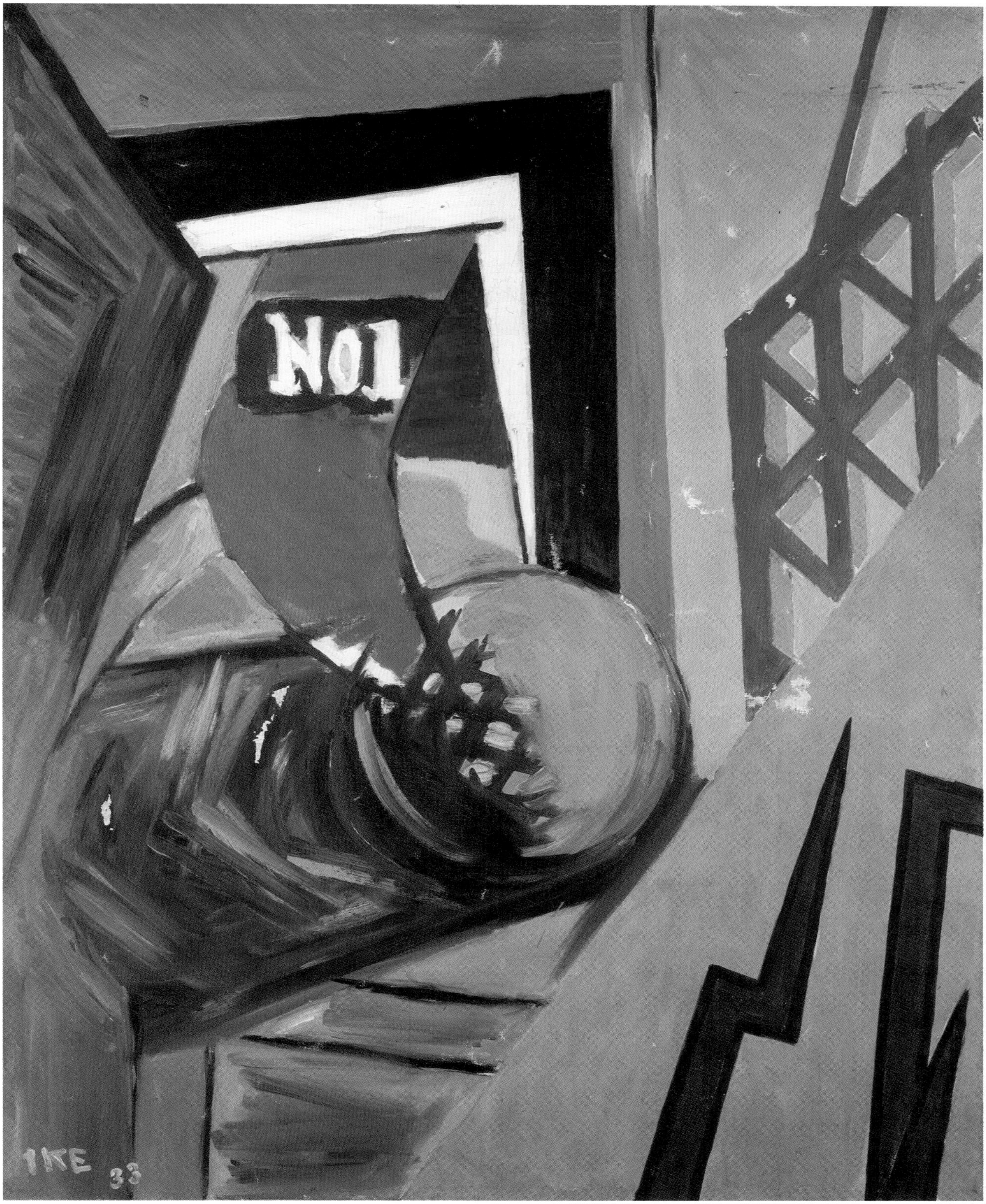

12. No. 1　1933年　個人蔵　1600×1300 mm

13. タイトル不詳（板絵）　1941年頃　個人蔵　223×151 mm
14. リーフレット　大日本航空株式会社発行　個人蔵　228×144 mm

15. タイトル不詳（板絵） 1941年頃 個人蔵 152×224 mm
16. リーフレット「サイパン風光」 南洋菊池商店発行 個人蔵 153×97 mm
17. リーフレット「マリアナ群島 テニアン風景」 南洋菊池商店発行 個人蔵 147×97 mm

18. タイトル不詳　1941年　個人蔵　293×379 mm
19. タイトル不詳　1941年　個人蔵　293×379 mm
20. タイトル不詳（裏面）1941年　個人蔵　「検閲済証 昭和16.8.19 南洋庁サイパン支庁」と押印　タイトル不詳　1941年　個人蔵

21 . タイトル不詳　1941年　個人蔵　379×293 mm
22.タイトル不詳（裏面）　1941年　個人蔵
23. タイトル不詳　1941年　個人蔵　379×293 mm
24. タイトル不詳　1941年　個人蔵　293×379 mm
25. タイトル不詳　1941年　個人蔵　293×379 mm
26. タイトル不詳　1941年　個人蔵　293×379 mm
27. タイトル不詳　1941年　個人蔵　293×379 mm

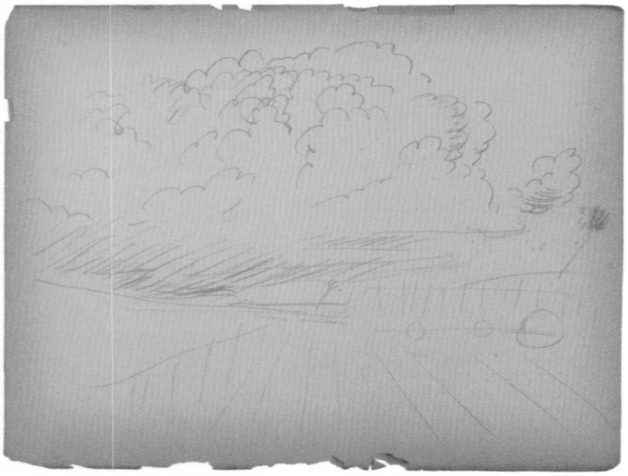

28. タイトル不詳　1941年　個人蔵　293×379 mm
29. タイトル不詳　1941年　個人蔵　293×379 mm
30. タイトル不詳　1941年　個人蔵　293×379 mm

31. タイトル不詳　1941年　個人蔵　293×379 mm
32. タイトル不詳　1941年　個人蔵　293×379 mm
33. タイトル不詳　1941年　個人蔵　293×379 mm

34. タイトル不詳　1941年　個人蔵　293×379 mm
35. タイトル不詳　1941年　個人蔵　293×379 mm
36. タイトル不詳　1941年　個人蔵　293×379 mm
37. タイトル不詳　1941年　個人蔵　293×379 mm

38. タイトル不詳　1941年　個人蔵　293×379 mm
39. タイトル不詳　1941年　個人蔵　293×379 mm
40. タイトル不詳　1941年　個人蔵　293×379 mm
41. タイトル不詳　1941年　個人蔵　293×379 mm
42. タイトル不詳　1941年　個人蔵　293×379 mm
43. タイトル不詳　1941年　個人蔵　293×379 mm

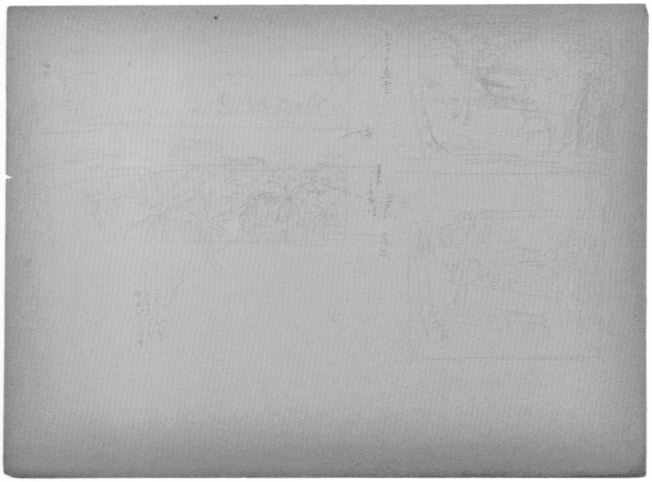

44. タイトル不詳　1941年　個人蔵　293×379 mm
45. タイトル不詳　1941年　個人蔵　293×379 mm
46. タイトル不詳　1941年　個人蔵　293×379 mm
47. タイトル不詳　1941年　個人蔵　275×387 mm
48. タイトル不詳　1941年　個人蔵　293×379 mm
49. タイトル不詳　1941年　個人蔵　293×379 mm

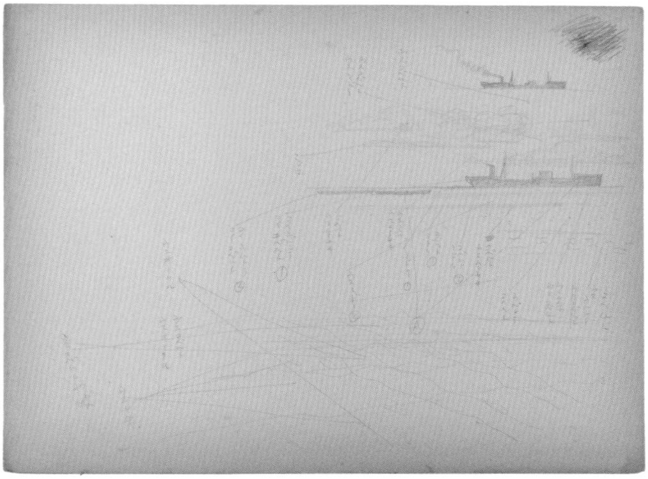

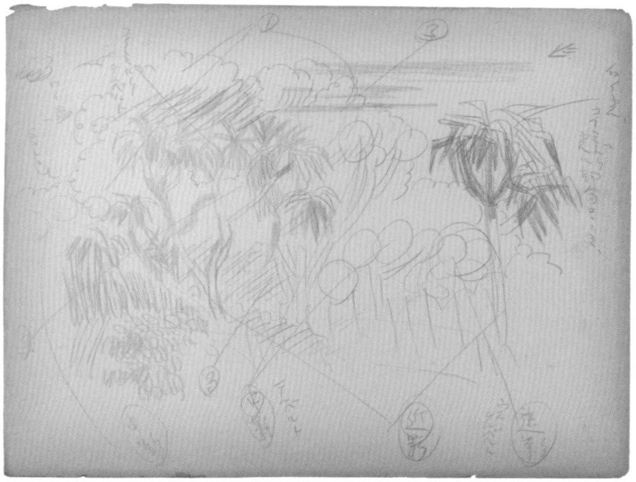

50. タイトル不詳　1941年　個人蔵　236×311 mm
51. タイトル不詳　1941年　個人蔵　293×379 mm
52. タイトル不詳　1941年　個人蔵　293×379 mm
53. タイトル不詳　1941年　個人蔵　293×379 mm
54. タイトル不詳　1941年　個人蔵　293×379 mm
55. タイトル不詳　1941年　個人蔵　293×379 mm

56. サイパンの風景　1941年　個人蔵　255×355 mm

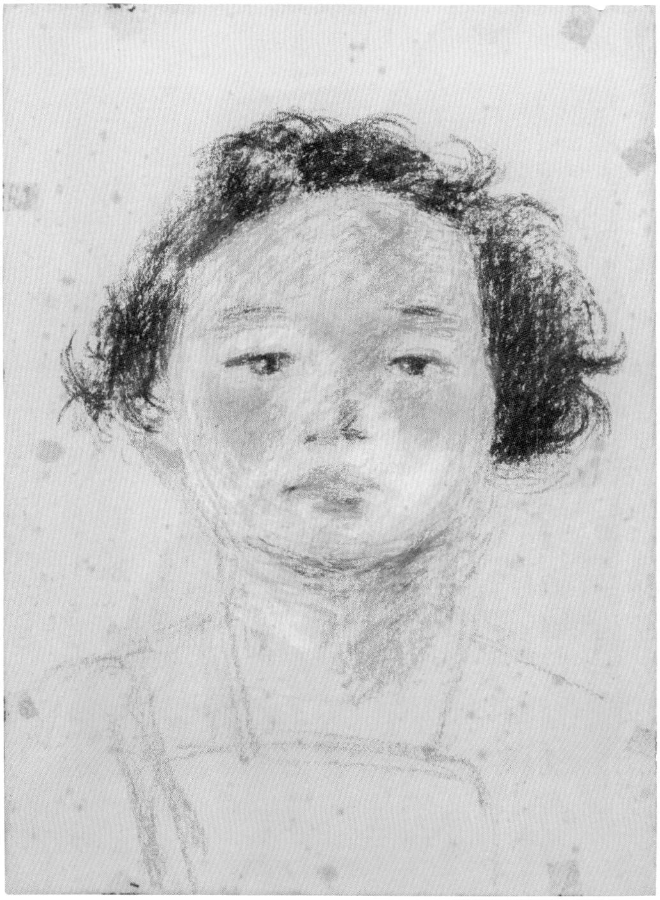

57. タイトル不詳　1950年代　個人蔵　387mm×272mm
58. タイトル不詳　1950年代　個人蔵　359mm×255mm
59. タイトル不詳　制作年不詳　個人蔵　293mm×379mm

60. サイパン島のスケッチ　制作年不詳　個人蔵　255mm×360mm
61. タイトル不詳　制作年不詳　個人蔵　179×257 mm
62. タイトル不詳　制作年不詳　個人蔵　293×379 mm
63. 無題　1975年　個人蔵　160×150 mm

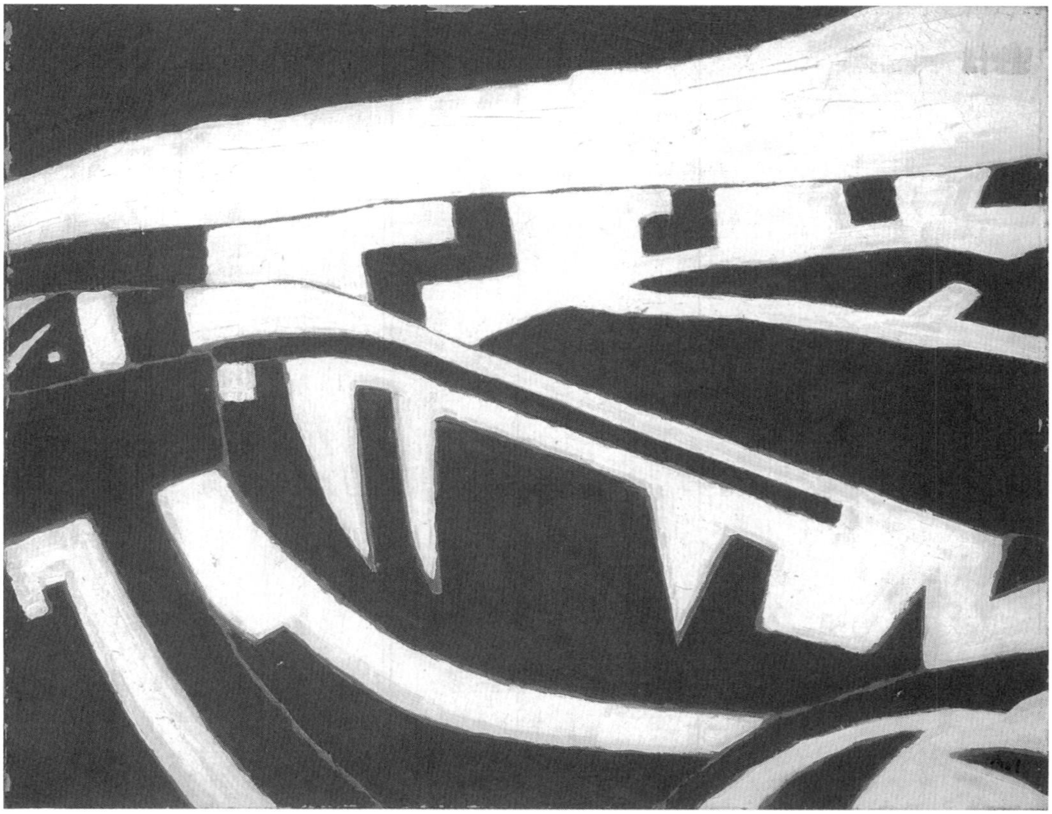

64. 無題（I）　1961年頃　姫路市立美術館蔵　725×905 mm
65. 無題（II）　1961年頃　姫路市立美術館蔵　730×910 mm

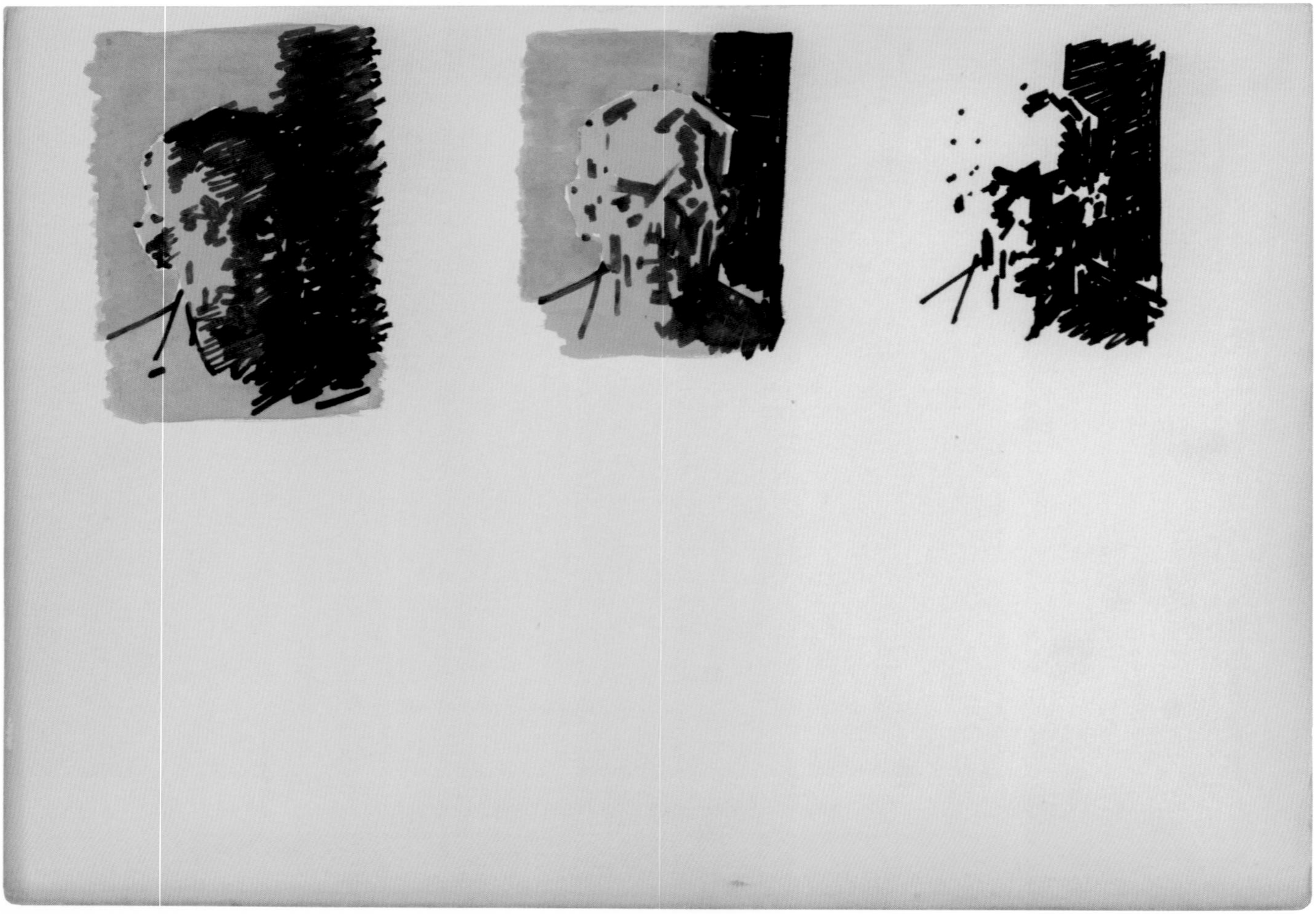

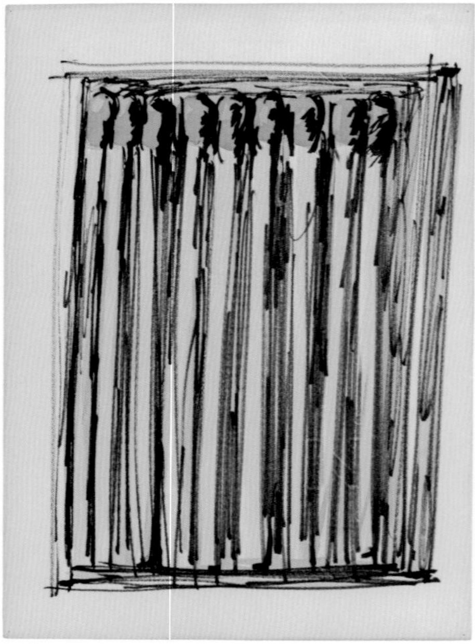

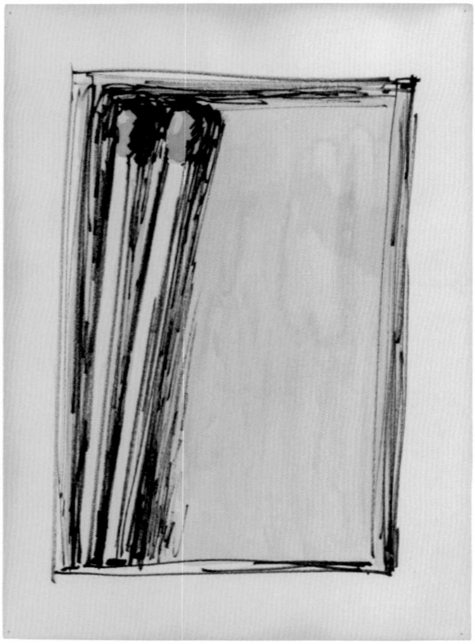

66. タイトル不詳　1970年代以降　個人蔵　355×255 mm
67. タイトル不詳　1970年代以降　個人蔵　355×255 mm
68. タイトル不詳　1970年代以降　個人蔵　355×255 mm

69. 自画像（未完成）　1980年　個人蔵　375×290 mm

目次

2 インスタレーションビュー、作品画像

58 STAYTUNE/D
長谷川新

59 出品作家略歴

62 aokidのヒッチハイク 11/21–23

66 移動するグラフィック・デザイナー
——1940年前後の日本とタイにおける里見宗次——
熊倉一紗

74 池ノ内篤人のサイパン渡航について
佐原しおり

88 用途なき聴覚、輪郭なき耳
黒嵜想
大和田俊参考図版

115 非情のジャングル
——フィリピン戦線生き残り元日本兵（抄録）
水口博幸

116 主催者より

STAYTUNE/D

長谷川新　インディペンデントキュレーター

展覧会タイトルについて。タイトルはSuchmosというグループの大ヒット曲「STAY TUNE」に由来する。この曲名は英語としては厳密には間違っている、のだが、その間違った言語を通過してこの曲を口ずさんだり、体をゆすったり、「ホンダのCMのやつかー」と思い起こしたりする経験はまったくもって間違っていないはずだという確信から、Dの直前に「/」がいれられている。このカタログが幾分奇妙な形をとっていると思われた場合、それはこのタイトルの「/」という躓きの振動だと考えていただきたい。

メールを見返したところ、2018年10月8日に最初の企画書を送っていた。この時点ではまだギャラリー無量には訪れておらず、ただ展覧会をやってくれないかという依頼をいただいただけだった。一度会って話しましょう、という段階にもかかわらず、企画書を送りつけてしまうあたり、我ながら全く相手のことを考えていない。おそらく無量のオーナーである小西さんは相当狼狽したことだろう。

明治時代に分家して以来、代々受け継がれてきたというその民家を住居兼ギャラリーへと改装した小西さんは、ちょうど5代目だという。2017年からゲストキュレーターを招聘し展覧会を依頼する企画を継続的に実施しており、鷲田めるろさん、尺戸智佳子さんがそれぞれ魅力的な展覧会を行っている。2019年は、筆者に依頼すると同時に、2020年の展覧会を公募するという形式を採用した。

こうした経緯から、筆者の中には当初よりふたつの方向性がかなり明確に見えていた。ひとつは、次回以降の未知なるキュレーションへとバトンを繋ぐような展覧会とすること。もうひとつは、移動ができない、ということそれ自体を考えるために展覧会をすること、である。この展示が存命の作家も物故作家も含む複数人で構成されるのも、自分がギャラリー無量にたどり着く前に、図面と会場写真だけをもとに企画書の第一稿を書き上げたのも、そのふたつの方向性と結びついている。以下、助成金申請書に書いた文章をそのまま掲載する。

1　活動の目的

現在世界中で発生している様々な矛盾の背後には「速度規制の権力」と呼べる力学が働いている。グローバリゼーションとは、移動の全面化であるというよりも、「移動速度の管理」の全面化である。日本もその当事者である難民、移民をめぐる問題はまさに「過剰な移動強制」と「過剰な移動抑制」の極点において生じている。さて「展覧会」という形式もまた、この「速度規制の権力」と無縁ではない。「会期と会場」のある展覧会とは、いわば、「鑑賞者となるためには制限時間内に特定の場所へと移動せよ」と命じているのであり、「あの展示、行きたかったのに行けなかった」という経験を持つ者は決して少なくないだろう。本展は、移動を呼びかけられていると同時に移動を妨げられているという点において関係しあっている私たちが、移動をめぐる問いを共有し、思考するために企画されている。それゆえ本展の鑑賞者には、展覧会会場である「ギャラリー無量」を会期中に訪れることができない人たちも含まれている。

—

最初にギャラリー無量を訪れたのは年が明けた2019年2月10日。砺波は一面の雪景色だった。その後、断続的に存命作家が無量を訪れ、宿泊している。インストーラーの土方くんにも来てもらい、事前に会場をチェックしてもらった。搬入はそれぞれの理由から作家は不在であった。筆者自身、作家のいない搬入は初めての経験だった。会期中、存命作家はいずれも展覧会を訪れている。曽根裕は展覧会初日に、四国の庵治町からやってきた。彼の作品は1日1度、日没時に、雨が降っていない場合に限って見ることができる。ボルネオ島のコウモリたちは日没時に飛び立つからだ。ジャングルの時間に展覧会の時間をあわせること。オーロラのようなものとして展覧会を捉えること。小西夫妻はこのルールを会期中遵守した。日没時、泥のように眠っていた曽根さん自身は、コウモリが飛び立つところを観れていない。最終週、八幡亜樹はパンデサルのレシピを試行錯誤して無量を訪れ、aokidはヒッチハイクで(!)神奈川の自宅から富山までやってきた。大和田俊は、出会わないこと、迷子であり続けること、展覧会に来られない側（インドの人々）の立場をとることにこだわり、会期中最後まで作品を出すことはなかった。それでも、彼が会場を訪れるという選択肢は排除しなかったことはとても大切であるように筆者には思われた。

このカタログであるが、故人である池ノ内篤人と、里見宗次、そして作品のなかった大和田俊については、佐原しおりさん、熊倉一紗さん、黒嵜想さんにそれぞれ論考を寄せていただいた。いずれも、作家の実践を立体的に、奥行きのあるものとして考えることのできる論考ばかりである。英訳-タイ語訳で長谷川祐輔さん、福冨渉さんにもご尽力いただいた。なお、黒嵜さんによる論考は大和田自身が翻訳し、筆者と大岩雄典さんによる添削を経て掲載されている。

2019年9月30日、搬入をほぼ終え、深夜に書き上げた文章は、そういう場合に特有のエモーショナルな揺れがしっかりと残っているものの、それでもとくに今読んでも異論はない。この展覧会が、たんに移動の種類の多様性を示すいうこと以上の事態になっていることを願う。

2020年1月2日　メキシコシティのホテルにて。

この展覧会は、展覧会に来たくても来れなかった人、会期が終わったあとに展覧会を知った人、展覧会期間中に生まれた人、夜型の生活をしていてギャラリーが閉まる時間から翌日オープンする時間までの間起きている人、SNSや人づてにこの展覧会を間接的に見聞きしている人、の「鑑賞」について考えてみたいと思っています。じっさいに、展覧会会場に来ることはとてもすばらしい経験だ、と僕は確信しています。もちろん、来てほしい。できれば、一度だけでなく、二度三度、来てほしい。作品は先ほど書いたようにさまざまな時間と現れ方をとおしてあなたを貫き、遠く未来や過去へと閃光を放ちます（その多くは、別のところからやってきた光です）。それはとても貴重な経験になりうるし、思考がいつもと異なる方向へと推進するし、後になってじわじわと効いてくるかもしれない。それでも、けれど、だが、いっぽうで、強調したいのは、展覧会は「展覧会に来た人」と「来なかった人」を分断する装置ではない、ということです。展覧会とはむしろ、すべてを見ることができず、同じ時間を生きることができず、互いに不十分な言語を操りながらなんとか毎日暮らしている、という点においてはたぶん自分はひとりではない、という手ごたえのようなものを得ることのできるところです。まあそれはそれとして（どうしてもこういう勿体つけた言い方を文章に混ぜてしまう、素数を数えて安心するような身振りはなかなか消えない）、とても素敵な展覧会です。小西ご夫妻の料理もコーヒーもお話も楽しいし、外の景色だってとても良いです。楽しんでいただけることを願っています[1]。

1 http://muryow.seesaa.net/article/470661771.html ［2020.5.6 最終閲覧］

出品作家略歴

aokid

1988年生まれ。中学3年生の頃よりビタミンすぅ〜MATCHのCMを見てブレイクダンスを始める。また映画ウォーターボーイズに刺激を受ける。

都内の高校に通い3年生の文化祭で男のシンクロを仲間と0から制作し発表する。後のアーティスト活動にその際の片鱗が見えるようになっていく。

東京造形大学映画専攻に入学。2008年にはブレイクダンスの世界大会に出場するもそこから離れ、パフォーマンスやコンテンポラリーダンス、ドローイングやイベントの企画などの活動を始めていく。

卒業後はダンスカンパニーなどに参加し海外ツアーなども経験するが、いよいよ2012年より独自のプロジェクト“aokid city”をスタート。架空の街を作るをコンセプトに、ダンス、音楽、ゲーム、美術、食、遊びなど様々なアプローチを含んだ活動を目論む。

その後、様々な出会いに刺激を受け2016年にパフォーマンスアーティスト橋本匠との劇場向け共同制作作品“フリフリ”が横浜ダンスコレクションコンペティション1で審査員賞を受賞。

2016年1月に個展「僕は“偶然のダンス”の上映される街に住んでいる。」をガーディアン・ガーデンで行う。

またこの年の3月より不定期に代々木公園などで様々な分野の作家たちを集め行うゲリラパフォーマンスイベント“どうぶつえん”を企画し続け10回を数える。

ダンスの発表や、ワークショップ、プレゼンなどのトークイベント、あるいはインスタレーションやドローイングなどの展示を行うなど、様々な方法を使い行き来する中で実践と学びを積み重ねる。

これからの目標はより新しい人と出会うべく作品の発表に限らず、活動や生活の継続、行ったことのない場所に出向くなどして、未知との遭遇に自分を変化させられたり向こう側に刺激を与えたりしながら、世界中で起こりうる戦争などを少しでも回避していけるような遠巻きながら草の根的な小さなアクションを作っていきたい。

限りなく自分であることと、自分でなくなることを出来るだけ行き来する勇気と忍耐を持って冷静と情熱の間でポジティブなステップを踏み続ける気持ち。

池ノ内篤人　Atsuhito Ikenouchi

1910年生まれ。1930年に上京し太平洋美術研究所、一九三〇年協会研究所、独立美術研究所で学ぶ。1933年、今井滋、内藤外次、中野政行とNINIを結成。同グループは日本でシュルレアリスムを標榜した最初期の団体のひとつ。1934年、独立美術協会を脱退し、新造型美術協会を結成。1941年初夏にサイパン島、テニアン島に滞在するも、8月に帰国。戦後は無所属で制作を続け、地元の神戸で絵画教室を主宰した。1989年没。

主な展覧会に「日本のシュールレアリスム 1925–1945」(名古屋市美術館、愛知、1990年)、「日本の抽象絵画—1910–1945—」(板橋区立美術館、東京ほか、1992年)、「時代に生き、時代を超える 板橋区立美術館コレクションの日本近代洋画1920s–1950s」(群馬県立館林美術館、群馬、2018年)など。

大和田俊　Shun Owada

1985年栃木県旧栗山村に生まれる。

現在、インド、バンガロールを拠点に活動を行う。

2日前はタミルナードゥ州近くの、ポンディシェリー連邦直轄領の南部にあるアリカメドゥ遺跡にいた。アリカメドゥは今はただの川沿いの草むらで、18世紀にイエズス会によって建てられたらしいレンガの建物の廃墟がある。ここは紀元前1世紀から2世紀にかけて、ローマ帝国との交易を行ったポドゥケーという港市だったとされている。少し内陸にずれたところに今はアリヤンクッパムという街がある。さっきそのあたり出身の人に聞いたところ、クッパムというのは、villageという意味とのことだ(代わりにChibaは日本語でどういう意味なのかと聞かれた)。

0歳から1歳だったので旧栗山村の記憶はないが、そこは平家の落人がたてたという場所で、大きなダムがあり、建設過程で沈んだ部分もあるらしい。その後大田原市、旧南河内町、茨城県旧総和町を経て小山市に転居、50号沿いのHARD OFFで買ったジャンク機材で音楽制作を開始する。宮脇書店で購入したSTUDIO VOICE「ポストテクノ／エレクトロニカの新世紀」特集にSound Hack、SuperColliderなどの音楽ソフトウェアが紹介された箇所があって、それに触発されてコンピュータベースの音楽制作を始めた。このページは図版と説明の対応がバラバラなのだが、それが意図的なものか編集上のミスなのかはわからない。

主な展覧会に、「Malformed Objects」(山本現代、東京、2017)「裏声で歌へ」(小山市車屋美術館、栃木、2017)、「不純物と免疫」(Tokyo Arts and Space、東京、2017／BARRAK 1、沖縄、2018)「Ars Electronica 2018」(リンツ、オーストリア、2018)、「Biennale WRO」(ヴロツワフ、ポーランド、2019)など。

里見宗次　Mounet Satomi

1904年(明治37年)11月2日、大阪府大阪市住吉区帝塚山に生まれる。里見家は実業家で、五人兄弟の末っ子(三男)であった。長兄の同級生には小出楢重がおり、小出は里見家にはよく出入りする関係であった。1911年、本来の学齢より1年早く天王寺師範附属小学校に入学。1914年、桜島噴火のポスターコンクールに応募し、金賞を受賞した。1917年、府立今宮中学校に入学、飛び級で1年早く卒業。東京美術学校を受験する準備を行っていたが、フランスから帰国したばかりの小出楢重に刺激され、1922年にパリに渡る。おりしも花開いたエコール・ド・パリ全盛期をパリで過ごすことになる。

アカデミー・ジュリアンで勉強した後に、パリ国立高等美術学校(エコール・デ・ボザール)本科を受験。定員7名中6番で合格した。里見は、パリ国立美術学校本科に入学した初の日本人である。1923年から1926年まで油絵を学ぶ。ボザールでは、1924年と1925年にデッサンで第一席を受賞。1924年には、フォアール・ド・パリのポスターコンクールに入賞した。また、1926年には春・秋のサロンに入選している。なお、在学中にやはり留学中であったルーマニア人、マリワラ(ラスジャ・マリワラ・ラスジャノ)と知り合い、1925年に結婚する。1927年2月父が他界したことから、生計の道を断たれ、商業美術家に転じることを決意。グラフィック・デザイナー「ムネ・サトミ」として、そのままパリで活躍することになる。ショパン広告会社に勤務後、フレガット社にアトリエ課長として迎えられる。1928年、ゴロワーズたばこのポスターコンクールで一等賞を受賞し、注目を集める。1932年、フォアール・ド・パリのポスターコンクールで一等賞を受賞。1933年、「6日間自転車競争」ポスターコンクールで一等賞を受賞し、これを契機として独立する。カッサンドルのポスター“NORD EXPRESS”に衝撃を受けたという里見は、これらポスターでグランプリを受賞したことから、当時の一流ポスター作家達と親交を深め、特にカッサンドルの技法に影響を受ける。この時期の里見の作品は、アール・デコを体現するもので、KLMオランダ航空のポスター(1934年)などが知られる。

1934年、東京で雑誌「広告界」が主催した「国際商業美術交歓展」にポスターを出品。里見のポスターが日本で公開されるのは、これが初めてのことであった。1935年、パリで初の日本ポスター展「日本商業美術展」を開催。1936年、渡仏後初めて帰国。滞在中に、鉄道省、日本郵船、御木本真珠店からポスター制作を受注する。1937年、パリ万国博覧会広告館に出展。鉄道省のポスター『JAPAN』で名誉賞と金杯を受賞する。1938年、在留日本美術家協会の結成にあたり、事務局を引き受け、同年12月および翌年7月の在仏日本人美術家展開催に尽力する。1939年、第二次世界大戦が始まったことからパリを離れる。

1940年1月に帰国。同年3月、ニューヨーク万国博覧会日本館のデコレーションを担当することになり、単身渡米。このニューヨーク滞在中に、アルコのポスターを制作した。帰国後、杉浦非水に請われて多摩帝国美術学校(現・多摩美術大学)図案科講師に就任するも、翌1941年にはフランス語の実力を買われ、外務省嘱託としてサイゴンに渡る。その後、1943年に日泰文化会館館員としてバンコクへ派遣される。家族をバンコクに呼び寄せ定住し、「義」部隊の宣伝部長を勤める一方で、日泰文化会館主催の美術展やコンクールを開催する。

1945年、同地で終戦を迎えると、バーンブアトーンの強制収容所へ送られる。今までのポスター作品も、その際に没収され失われた。1946年には解放されるが、引き続きタイにとどまり、パリでの学生時代からの旧知であったピブーンソンクラームから、タイ国劇場の舞台装置家の職を斡旋される。その後、シャム航空（現：タイ国際航空）などの広告デザインを手がける。1948年には、シルパコーン大学顧問に就任する。1951年にはパスポートの発給を受け、タイを離れ、翌年再びパリに戻る。1953年、旧友の藤田嗣治の勧めで、カンパーニュ・プルミエール街の、藤田が住む隣のアパートへ転居し、以後この場所に住む。1954年には健康食品展（SALON DE LA SANTÉ）、1958年には政府広報「パンを食べよ」（MANGEZ DU PAIN VOUS VIVREZ BIEN）のポスターをそれぞれ発表。1964年以降、国際食品展（SIAL、隔年開催）のポスター制作を第14回まで担当。他にも数多くのポスターを手がける。1974年、勲三等瑞宝章を授与される。デザイナーとしての活動は衰えることなく、2万点を超える作品を残した。1989年に日本に帰国。1996年1月30日、奈良県大和郡山市の病院で心不全のため死去、享年91[1]。

曽根裕　Yutaka Sone

1965年静岡生まれ。メキシコ、中国、アントワープにスタジオをおきそれらを移動しながら作品つくり発表していたらまあまあていどの時間が経過して 作品もいろんなところにできあがっていたらしい。ことしは11月にメキシコシティで個展をやりそのあと友達の芸術家と、スペインがメキシコに侵略したルートを逆さまにたどるキャラバン風のプロジェクトにいきそのたびをユカタン半島のギャラリーで発表する。しかし10月はアロメン・エロヤンとコラボレーションをチューリヒでするのできっと予定はどんどんずれて、めちゃくちゃになってしまうかもしれないし、全部すーっとできるかもしれない。

ジャングルのなかでよるがやってくる。そこら中の虫たちが一斉に音を立てて、聞くことができないほどの音。わたしも音をだした。日が完全にくれると少し音がゆるやかになって、わたしもなにをしなければならないのかがわかる。

近年の個展は以下（抜粋）。

2017
Yutaka Sone: Travel 1987–1988, Museum of Contemporary Art Antwerp (M HKA), Antwerp
Michoacán Report II, Tommy Simoens Gallery, Antwerp
Obsidian, Sifang Art Museum, Nanjing

2016
Day and Night, David Zwirner, New York
Michoacán Report I, Tommy Simoens Gallery, Antwerp

近年のグループ展は以下（抜粋）。

2019
東京インディペンデント2019, 東京藝術大学大学美術館 陳列館, 東京

2018
Grand Reverse: The Odious Smell of Truth, Tommy Simoens Gallery, Antwerp
Paradise Is Now: Palm Trees in Art, Salon Dahlmann, Berlin
Sanguine: Luc Tuymans on Baroque, Fondazione Prada, Milan

2016
Built, World, SCAD Museum of Art, Savannah College of Art and Design, Georgia
Room Services, Printed Matter New York Art Book Fair, MoMA PS1, Long Island City, New York [collaboration with Mandy El-Sayegh and Oscar Murillo]

2015
Let Us Celebrate While Youth Lingers and Ideas Flow, The Renaissance Society at the University of Chicago

八幡亜樹　Aki Yahata

1985年、東京生まれ、北海道育ち。東京藝術大学大学院先端芸術表現専攻修了。映像インスタレーションをあらゆる「生きること」のための思考装置と捉え、取材をベースとした制作を行っている。地理的・社会的・精神的な「辺境」のことを想っている。主な展覧会に、『逡巡のための風景』（京都芸術センター, 2019）、『楽園創造（パラダイス）—芸術と日常の新地平— vol. 7 八幡亜樹』（gallery αM, 東京, 2014）、『六本木クロッシング 2010展：芸術は可能か？』（森美術館, 東京, 2010）、『リフレクション—映像が見せる“もうひとつの世界”』（水戸芸術館, 茨城, 2010）など。

1　Wikipedia-里見宗次 を元に一部修正
https://ja.wikipedia.org/wiki/%E9%87%8C%E8%A6%8B%E5%AE%97%E6%AC%A1

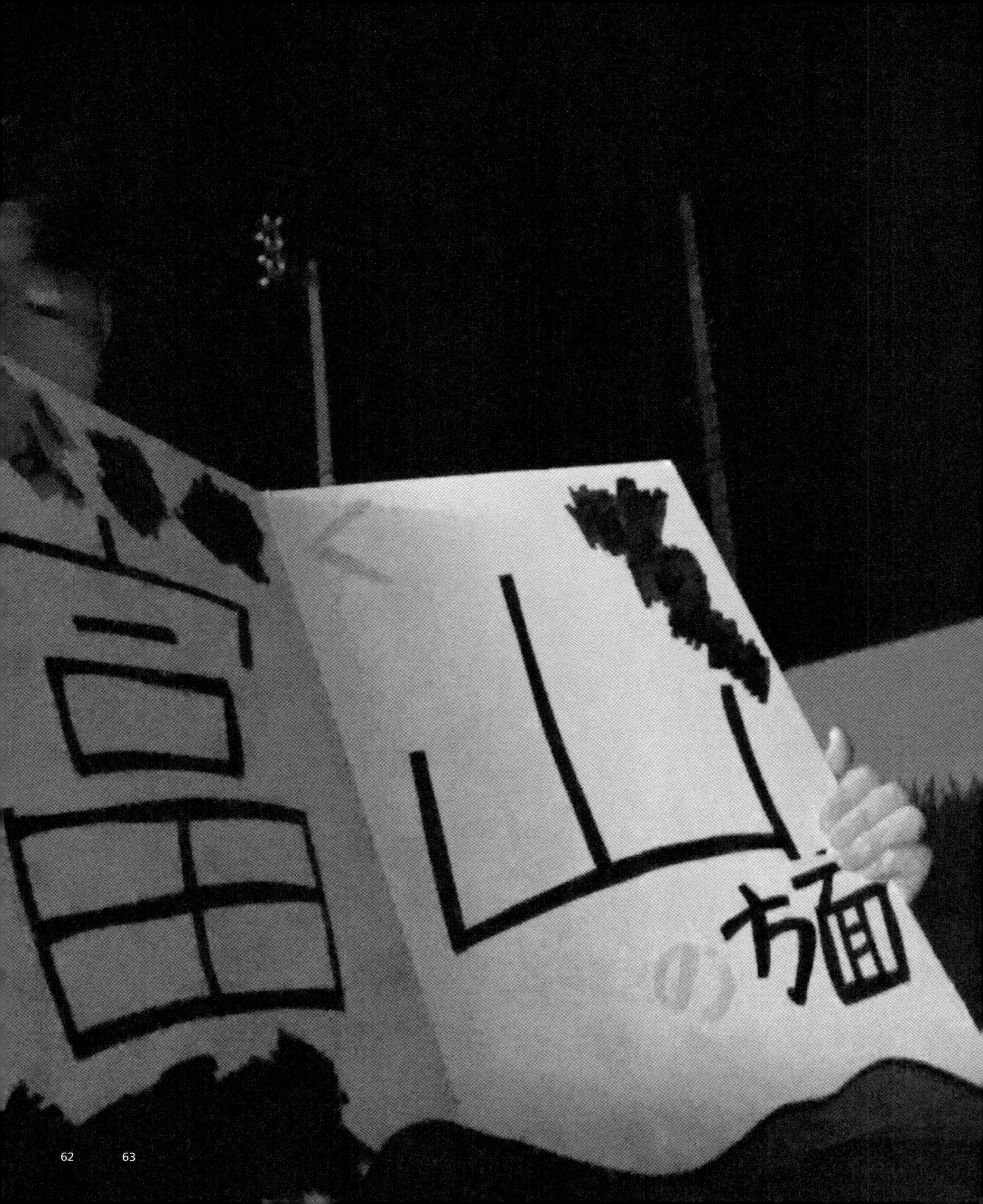
富山
方面

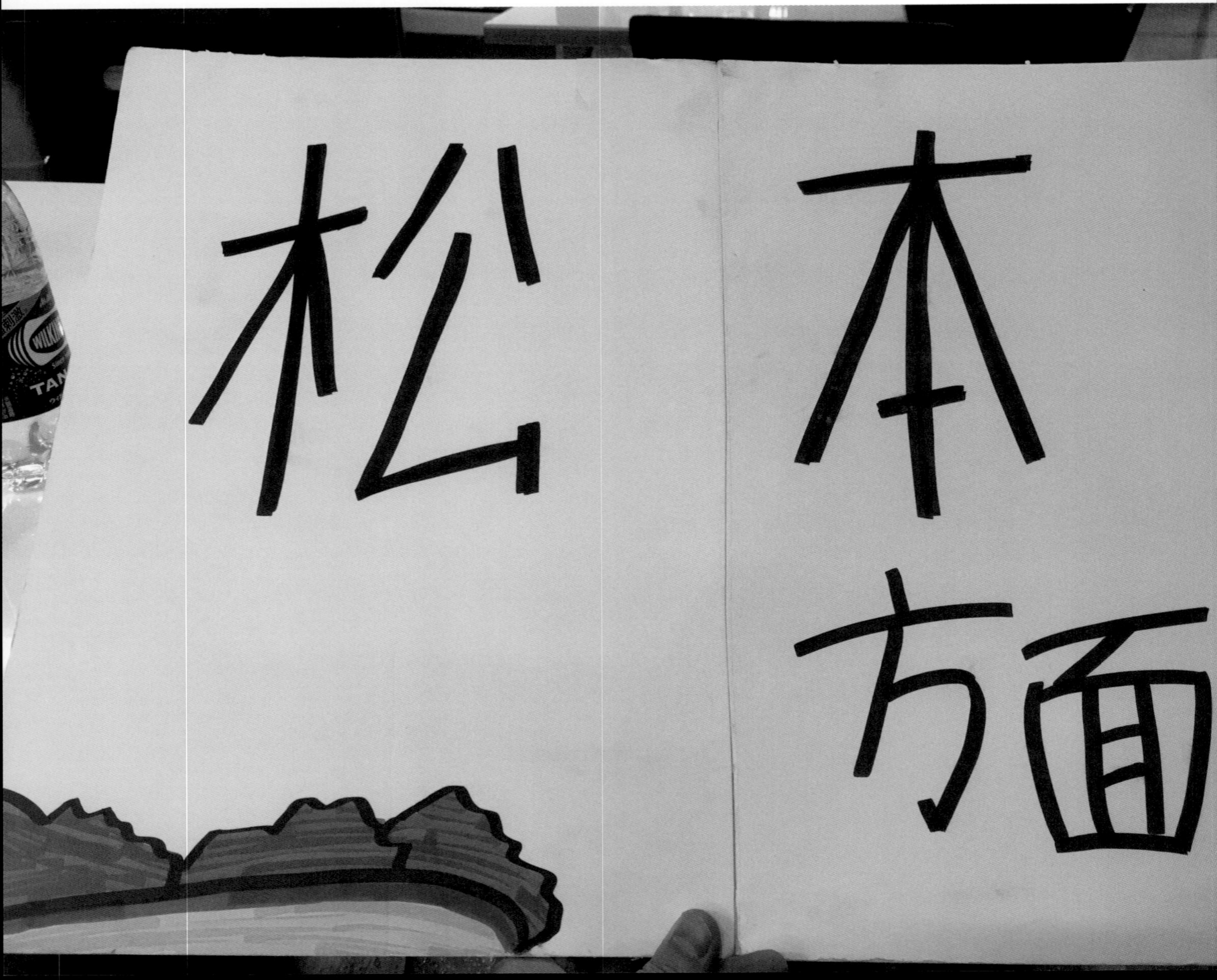
松本

移動するグラフィック・デザイナー
——1940年前後の日本とタイにおける里見宗次——

熊倉一紗　大阪成蹊大学芸術学部准教授

はじめに

一所に留まらず、各地を移動し活躍する芸術家やデザイナーは過去から現在にいたるまで数多い。グラフィック・デザイナー里見宗次（1904–1996）もその1人である。里見は、大正11年（1922）、当初洋画を学ぶためパリに渡っているが、その後グラフィック・デザイナーに転身し国際的地位を確立する。第2次世界大戦が激しさを増した昭和15年（1940）に日本への帰国を果たすものの、翌年には政府より外務省嘱託としてタイとフランス領インドシナとの国境を画定するためベトナムへと、次いでタイへと渡ることとなる。終戦をタイ・バンコクで迎え、7年あまりを過ごした後、再びパリに戻りグラフィック・デザイナーとして活動を再開するにいたる。このように波乱に富んだ人生を送った人物であった。

本稿は、1940年前後という時期に焦点を合わせ、戦時体制下という特異な状況における里見の日本、ベトナム、タイでの活動を検討することによって、彼の果たした役割がどのようなものだったのかについて考察してみたい。

1. 里見宗次について

里見宗次は、明治37年（1904）、大阪の裕福な家庭に生まれ育つ。画家をこころざし、大正11年（1922）17歳でフランス・パリに渡り、画塾アカデミー・ジュリアンで研鑽を積んでいく。大正14年（1925）、エコール・デ・ボザール本科に入学を果たし、同年12月、人物デッサンで1等賞を獲得している。

その後は、洋画家を目指して、サロンなどに出品し入選も果たすのだが、昭和2年（1927）に父親が亡くなったことで送金が止まり、このままフランスに残って画家になるか、それとも日本に帰国するか、里見は岐路に立たされてしまう。しかし、1920年代のパリは、ちょうどインフレから脱却して急速に発展し、またアメリカ経済の好況のため大量消費時代を迎えていた時期だった。こうした時代状況を背景に、里見は、グラフィック・デザイナーとして自活することを決め、早くもその約1年後の昭和3年（1928）には、《ゴロワーズたばこ》のポスター・コンクールで見事1等賞を獲得している。この《ゴロワーズたばこ》ポスターを皮切りに、《フォアール・ド・パリ（パリ市定期博覧会）》（1932年）や《6日間自動車競走》ポスター・コンクール（1933年）で次々と1等賞をおさめることになるのである。

里見はパリと日本、双方の商業美術界を結びつける仲介者として

กราฟฟิกดีไซเนอร์ย้ายถิ่น—มุเนสึงุ ซาโตมิในประเทศญี่ปุ่นและประเทศไทย ช่วงปีค.ศ. 1940—

คาซุซะ คุมาคุระ รองศาสตราจารย์ คณะศิลปกรรมศาสตร์ มหาวิทยาลัย
Osaka Seikei University

บทนำ

ตั้งแต่อดีตจนถึงปัจจุบัน มีศิลปินและดีไซเนอร์หลายคนที่ไม่ได้ย่ำอยู่กับที่และเปลี่ยนถิ่นฐาน ก็ได้สร้างผลงานมามากมาย กราฟฟิกดีไซเนอร์ชื่อมุเนสึงุ ซาโตมิ (ค.ศ. 1904-1996) ก็เป็นหนึ่งคนในนั้น ซาโตมิไปเรียนจิตรกรรมตะวันตกที่ปารีสในปีไทโชที่ 11 หรือปีค.ศ. 1922 หลังจากนั้นเปลี่ยนอาชีพเป็นกราฟฟิกดีไซเนอร์และได้รับความยอมรับจากนานาชาติ กลับประเทศญี่ปุ่นเมื่อสงครามโลกครั้งที่ 2 ทวีความรุนแรงขึ้น คือ ปีโชวะที่ 15 หรือปีค.ศ. 1940 แต่ในปีถัดไป รัฐบาลญี่ปุ่นมอบหมายหน้าที่ให้กับซาโตมิ เขาจึงข้ามทะเลไปเวียดนามเพื่อกำหนดเส้นแบ่งเขตแดนระหว่างประเทศไทยกับอินโดจีนของฝรั่งเศสในฐานะลูกจ้างชั่วคราวของกระทรวงการต่างประเทศ สงครามโลกครั้งที่ 2 ก็ได้สิ้นสุดลงตอนที่ซาโตมิพำนักอยู่ที่ประเทศไทย ซาโตมิอยู่ประเทศไทยมา 12 ปีและได้กลับไปปารีสเพื่อทำงานเป็นกราฟฟิกดีไซเนอร์อีกครั้ง ถือได้ว่าเขาเป็นบุคคลที่ผ่านชีวิตอันโชกโชน

บทความชิ้นนี้วิเคราะห์การทำงานและสภาพแวดล้อมของซาโตมิที่อยู่ภายใต้ระบอบการปกครองช่วงสงครามของรัฐบาลญี่ปุ่น โดยเล็งไปที่ช่วงก่อนและหลังปีค.ศ. 1940 เพื่อเผยให้เห็นถึงหน้าที่และภารกิจที่เขาได้บรรลุไว้

1. ว่าด้วยมุเนสึงุ ซาโตมิ

มุเนสึงุ ซาโตมิ เกิดและเติบโตในครอบครัวร่ำรวยของนครโอซากาในปีเมจิที่ 37 หรือปีค.ศ. 1904 เขาปรารถนาที่จะเป็นจิตรกร จึงไปเรียนจิตรกรรมที่ปารีส ประเทศฝรั่งเศสในปีไทโชที่ 11 หรือปีค.ศ. 1922 เขาได้ขัดเกลาฝีมือด้านศิลปะที่โรงเรียนศิลปะ Académie Julian และเรียนต่อในโรงเรียน École nationale supérieure des Beaux-Arts หลักสูตรภาคปกติในปีไทโชที่ 14 หรือปีค.ศ. 1925 เขายังได้รับรางวัลที่หนึ่งจากการวาดเส้นคนเหมือนในเดือนธันวาคมปีเดียวกัน

หลังจากนั้น ซาโตมิมุ่งหวังที่จะเป็นจิตรกรสร้างผลงานจิตรกรรมแบบตะวันตกและส่งผลงานเข้าประกวดในนิทรรศการศิลปะแห่งปารีส ผลงานของเขาก็ได้รับการคัดเลือก แต่ในปีโชวะที่ 2 หรือปีค.ศ. 1927 บิดาของเขาเสียชีวิตและเขาไม่สามารถรับการส่งเสียอีกต่อไปได้ ซาโตมิจึงต้องเผชิญกับทางแยกของชีวิตว่าควรจะอยู่ฝรั่งเศสต่อเพื่อที่จะเป็นจิตรกรดั่งใจหวัง หรือควรจะกลับประเทศญี่ปุ่น แต่เมืองปารีสในยุคค.ศ. 1920 นั้นเพิ่งได้หลุดพ้นจากภาวะเงินเฟ้อและเศรษฐกิจเริ่มพัฒนาอย่างรวดเร็ว แถมยังได้รับผลกระทบจากสภาพเศรษฐกิจที่คล่องตัวของสหรัฐ ทำให้ประเทศฝรั่งเศสเข้าสู่ยุคที่มีการบริโภคขนาดใหญ่ เนื่องด้วยสถานการณ์โลกของยุคสมัยเยี่ยงนี้ ซาโตมิจึงได้ตัดสินใจอยู่ฝรั่งเศสต่อและทำงานเป็นกราฟฟิกดีไซเนอร์เพื่อเลี้ยงชีพด้วยตนเอง หลังจากนั้นเพียงหนึ่งปี เขาได้รับรางวัลที่หนึ่งจากการประกวดออกแบบโปสเตอร์ของ «บุหรี่ Gauloises» ถือเป็นการประสบความสำเร็จอันงดงาม เริ่มต้นด้วยโปสเตอร์ของ «บุหรี่ Gauloises» เขาได้รับรางวัลที่หนึ่งจากการประกวดออกแบบโปสเตอร์ต่าง ๆ เรื่อย ๆ อย่าง «Foire de Paris (งานแสดงสินค้าประจำปีของเมืองปารีส)» และ «การแข่งจักรยาน 6 วันติดต่อกัน»

ซาโตมิยังทำหน้าที่ของคนกลางที่เชื่อมโยงวงการพาณิชย์ศิลป์ของปารีสและญี่ปุ่น เขาได้รับความช่วยเหลืออันใหญ่หลวงจากมิกิโนซุเกะ มิยาจิมะ (ค.ศ. 1872-1944) ด็อกเตอร์ด้านแพทยศาสตร์ที่พำนักอยู่ที่ปารีสในฐานะตัวแทนประเทศญี่ปุ่นจากองค์การอนามัยของสันนิบาตชาติ ซาโตมิจึง

の役割も果たしていた。国際連盟保健機関の日本代表としてパリに滞在していた医学博士・宮嶋幹之助（1872–1944）の尽力もあり、日本でパリのポスターを紹介する展覧会を開くことになった。それが昭和9年（1934）の「国際商業美術交歓展」である。この展覧会は、里見の作品をはじめ、A. M. カッサンドル（Adolphe Mouron Cassandre: 1901–1968）やシャルル・ルポ（Charles Loupot: 1892–1962）、ポール・コラン（Paul Colin: 1892–1985）といった当時フランスで一世を風靡していた人気ポスター作家の作品が展示されて大きな話題を呼んだ。翌年の昭和10年（1935）には、パリ・アティカ画廊にて前述の「国際商業美術交歓展」の出品作の一部を展示した「日本商業美術第1回展」が開催される。カッサンドル、コラン、そして写真家マン・レイ（Man Ray: 1890–1976）など大勢の芸術家やデザイナーが日本の商業美術の実情に触れた初めての機会となり好評を博したようである。

昭和11年（1936）、14年ぶりに一時帰国を果たす。8月3日から9月4日までというわずか1ヶ月の滞在だったが、鉄道省国際観光局や日本郵船株式会社、御木本真珠店といった、グローバルに展開していた機関や企業などから依頼を受けポスターなどを制作する。国際観光局から依頼を受け制作した《JAPAN》ポスターは、1937年開催のパリ万国博覧会における広告館に出品され、名誉賞と金杯を受賞している[1]。里見は一度、パリに戻るが、昭和14年（1939）9月3日に、イギリス・フランスがドイツに宣戦布告をして第2次世界大戦が始まると、日本への帰国を余儀なくされる。以降の章では、1940年前後の日本およびサイゴン、そしてバンコクにおける活動について具体的にみていくことにする。

2. 1940年前後の日本における里見宗次

昭和15年（1940）1月にルーマニア人の妻マリワラと一人息子であるペーターとともに横浜港に帰着した里見は、展覧会への出品、講演会の登壇、そしてポスター制作を旺盛に行っている。例えば、4月に「戦時下の世界を知るポスター展」（場所：神戸三越、主催：神戸市観光課）へ出品した後、5月にはニューヨーク万国博覧会協会委託として単身アメリカへ渡り、同万博日本館の装飾を担当している。その際、アメリカン・ロコモティブ社の機関車の宣伝ポスターも制作する。7月帰国し、「世界ポスター美術展（場所：東京府美術館）」へ出品、同時期に杉浦非水の推薦で多摩帝国美術学校（現在の多摩美術大学）の図案科講師を務めてもいる。

この時期に注目したいのは、里見が戦時体制下のプロパガンダに協力的だったことである。12月12日から28日まで大阪の松坂屋で開催された「新体制早わかり展覧会」（主催：大阪毎日新聞、後援：大政翼賛会宣伝部）は同年10月に創立された大政翼賛会についてわかりやすく解説するための展示だったが、この構成や展覧会告知ポスターを制作している[図1]。ポスターについて里見自身が述べるには「実際の所誰れも新体制々々々と云ふが分らないので困つて居る様

ได้จัดนิทรรศการที่ญี่ปุ่นเพื่อจัดแสดงโปสเตอร์ต่าง ๆ จากปารีส นิทรรศการดังกล่าว คือ “นิทรรศการแลกเปลี่ยนพาณิชย์ศิลป์นานาชาติ” ซึ่งได้จัดขึ้นในปีโชวะที่ 9 หรือปีค.ศ. 1934 นอกจากผลงานของซาโตมิแล้ว นิทรรศการครั้งนั้นแสดงผลงานนักวาดโปสเตอร์ระดับแนวหน้าของฝรั่งเศสสมัยนั้น อาทิ Adolphe Mouron Cassandre (ค.ศ. 1901-1968) Charles Loupot (ค.ศ. 1892-1962) และ Paul Colin (ค.ศ. 1892-1962) และเรียกกระแสเป็นอย่างมาก ในปีถัดไป คือ ปีโชวะที่ 10 หรือปีค.ศ. 1935 “นิทรรศการพาณิชย์ศิลป์ญี่ปุ่นครั้งที่ 1” ก็ได้จัดขึ้น ณ แกลเลอรี่ Attica ของปารีส โดยนำผลงานบางส่วนจาก “นิทรรศการแลกเปลี่ยนพาณิชย์ศิลป์นานาชาติ” มาแสดง ศิลปินและดีไซเนอร์ที่มีชื่อเสียงหลายคนมาชมการแสดงครั้งนั้น เช่น Adolphe Mouron Cassandre, Paul Colin และช่างภาพ Man Ray (ค.ศ. 1890-1976) เป็นโอกาสครั้งแรกสำหรับศิลปินและดีไซเนอร์เหล่านั้นที่ได้สัมผัสสถานการณ์จริงของวงการและผลงานพาณิชย์ศิลป์ของญี่ปุ่น ทำให้นิทรรศการครั้งนั้นได้รับความนิยมอย่างล้นหลาม

ซาโตมิกลับประเทศญี่ปุ่นชั่วคราวในปีโชวะที่ 11 หรือปีค.ศ. 1936 เป็นการกลับประเทศครั้งแรกในรอบ 14 ปี เขาอยู่ประเทศญี่ปุ่นเพียงเดือนเดียว ได้แก่ ตั้งแต่วันที่ 3 สิงหาคมจนถึงวันที่ 4 กันยายน แต่มีหลายองค์กรและบริษัทที่ได้ขยายกิจการไปยังนานาชาติมาเชื้อเชิญซาโตมิให้วาดโปสเตอร์อย่างเช่น กรมการท่องเที่ยวนานาชาติของกระทรวงการรถไฟ บริษัทนิปปอน ยูเซ็น และร้านไข่มุก มิกิโมโตะ ผลงานโปสเตอร์ชื่อ «JAPAN» ที่เขาวาดขึ้นจากคำขอร้องของกรมการท่องเที่ยวนานาชาติ ถูกนำไปแสดงที่อาคารการโฆษณา ในเอ็กซ์โปที่จัดขึ้นในปารีสเมื่อปีค.ศ. 1937 และได้รับรางวัลเกียรติยศและถ้วยทอง[1] หลังจากนั้น ซาโตมิกลับไปปารีส แต่เมื่ออังกฤษกับฝรั่งเศสได้ประกาศสงครามต่อเยอรมนีในวันที่ 3 กันยายน ปีโชวะที่ 14 (ค.ศ. 1939) และสงครามโลกครั้งที่ 2 เริ่มต้นขึ้น เขาต้องกลับญี่ปุ่นอย่างหลีกเลี่ยงไม่ได้ ผู้เขียนจะวิเคราะห์การทำงานของซาโตมิที่ญี่ปุ่น ไซ่ง่อน และกรุงเทพฯ ช่วงปีค.ศ. 1940 ในบทต่อ ๆ ไป

2. มุเนสึงุ ซาโตมิในประเทศญี่ปุ่นช่วงปีค.ศ. 1940

ซาโตมิกลับมาถึงท่าเรือโยโกฮาม่าเมื่อเดือนมกราคมในปีโชวะที่ 15 หรือปีค.ศ. 1940 พร้อมกับภรรยาชาวโรมาเนีย ชื่อ Marioara และลูกชายคนเดียวชื่อ Peter หลังจากนั้นเป็นต้นมา เขาเริ่มรับงานต่าง ๆ อย่างเต็มพลัง ตั้งแต่การส่งผลงานเข้าร่วมนิทรรศการ การขึ้นเวทีบรรยาย และการวาดโปสเตอร์ ยกตัวอย่างเช่น เขาส่งผลงานตนเข้าร่วมงานนิทรรศการ “รวมโปสเตอร์รู้โลกท่ามกลางสงคราม” (สถานที่ : ห้างสรรพสินค้ามิตสุโคชิ สาขาโกเบ เจ้าภาพ : แผนกการท่องเที่ยว เทศบาลเมืองโกเบ) ในเดือนเมษายน เดือนถัดมาเขาไปสหรัฐด้วยตัวคนเดียว โดยได้รับมอบหน้าที่จากสมาคมเอกซ์โปที่นิวยอร์กในการประดับตกแต่งอาคารญี่ปุ่นในงานเอกซ์โป ตอนนั้นนั่นเอง เขาวาดโปสเตอร์เพื่อโฆษณารถไฟของบริษัท American Locomotive เขากลับญี่ปุ่นในเดือนกรกฎาคม และแสดงผลงานของตัวเองในงาน “นิทรรศการศิลปะผลงานโปสเตอร์รอบโลกเพื่อระลึกครบรอบ 2600 ปีแห่งราชวงศ์ญี่ปุ่น” (สถานที่ : พิพิธภัณฑ์อุเอโนะ) เขายังได้ตำแหน่งของอาจารย์ที่สาขาวิชาการออกแบบแห่งโรงเรียนศิลปะจักรวรรดิญี่ปุ่นแห่งทามะ (มหาวิทยาลัยศิลปะทามะปัจจุบัน) โดยได้รับคำแนะนำจากฮิซุย ซุงิอุระ

สิ่งที่น่าจับตามองในช่วงนั้น คือ การสนับสนุนของซาโตมิที่มีต่อโฆษณาชวนเชื่อตามระบอบการปกครองช่วงสงครามของรัฐบาลญี่ปุ่น เขารับหน้าที่ในการจัดเตรียมนิทรรศการ และวาดโปสเตอร์ให้กับงาน “นิทรรศการรู้ทันระบอบใหม่” (เจ้าภาพ : หนังสือพิมพ์โอซากา-ไมนิจิ สนับสนุน : แผนกการประชาสัมพันธ์ สมาคมช่วยเหลือการปกครองจักรวรรดิ) ที่ได้จัดขึ้นที่ห้างสรรพสินค้ามัตสุซากายะ โอซากา ตั้งแต่วันที่ 12 ถึง 28 ธันวาคม ซึ่งเป็นนิทรรศการเพื่ออธิบายให้ประชาชนรู้จักสมาคมช่วยเหลือการปกครองจักรวรรดิ (Taisei-Yokusan-kai) ที่เพิ่งได้สถาปนาขึ้นในเดือนตุลาคมปีเดียวกัน [รูปที่ 1] ซา

図1　รูปที่ 1
《新体制早わかり展覧会》
«นิทรรศการรู้ทันระบอบใหม่»
1940

である。そこで最も確実な新体制の定義とでも云ふべき大衆向きのすると云ふよりは大衆に解しやすい個人から団体隣組を経て翼賛会へ行き更らに政府の力となり国全体の力となつて動き出す事を表現する事にした」ようである[2]。ポスターを見ると、大中小の滑車のようなものと力こぶが浮き上がった太い右手が描かれている。小さい滑車が里見の言う個人、その上部にある中くらいのものが団体隣組、力こぶのところにある大きなものが大政翼賛会で、肘より上を政府や国全体の力とし、大政翼賛会が個人や組織の統制によって形成され、さらにそれが国家の起動力となることが表現されている。

また、里見は日本に帰国後、商業美術家たちへの要望を述べている。例えば、『世界産業美術史』という論考を1940年に発表しているが、その執筆目的として「全く最近二三年間に国際的に迄躍進せる我が国産業美術界の発達、一般国民の産業美術に対する再認識及び其の指導に対する熱望に報いんとする為めではあるが、又一面、口に名論百出するも一つとして総合的組織も無く、其の実行力も無く、喧々囂々、衆盲の象を摸するかの如く、対立又対立、小党に分裂して、狭い内地に於て小事の為めに激闘する有様を目撃し、一刻も早く島国根性を捨て、東亜の盟主近代文化建設者として世界人となり、産業美術界ばかりで無く、世界人類の為めに貢献せられんことを要望する為め」だとする[3]。そして産業美術について「単

โตมิเคยกล่าวถึงโปสเตอร์ของตัวเองว่า
“ดูเหมือนว่าทุกคนลำบากใจเหมือนกัน เพราะไม่รู้ว่า ‘ระบอบใหม่’ ที่ทุกคนพูดถึงกันนั้น คือ อะไร ผมจึงออกแบบโปสเตอร์สำหรับประชาชน หรือกล่าวอีกอย่างหนึ่ง ออกแบบโปสเตอร์เพื่อให้ประชาชนเข้าใจง่าย โดยพรรณนาถึงพลวัตของประชาชนแต่ละคน ซึ่งเริ่มจากปัจเจกชนตัวคนเดียว ร่วมมือกับกลุ่มเพื่อนบ้าน เข้าร่วมสมาคม กลายเป็นพลังให้กับรัฐและชาติ”[2] เมื่อเห็นโปสเตอร์ดังกล่าวก็มีวัตถุคล้ายรอกขนาดต่าง ๆ แขนขวาของคน และกล้ามเนื้อต้นแขนที่พองขึ้น รอกขนาดเล็ก คือ ปัจเจกชนที่ซาโตมิอ้างถึง รอกขนาดกลางที่อยู่เหนือรอกขนาดเล็ก คือ กลุ่มเพื่อนบ้าน และรอกขนาดใหญ่ที่อยู่ตรงกล้ามเนื้อนั้น คือ สมาคมช่วยเหลือการปกครองจักรวรรดิ แขนท่อนล่างตั้งแต่ศอกลงไป คือ พลังของรัฐและชาติ ทำให้เห็นว่าสมาคมฯ ประกอบด้วยปัจเจกชนและกลุ่มต่าง ๆ ที่ถูกฝึกอบรมและอยู่ใต้บังคับบัญชา และแผลงเป็นแรงขับเคลื่อนของประเทศชาติ

นอกจากนี้ หลังกลับมาที่ญี่ปุ่น ซาโตมิยังพูดถึงความต้องการของตัวเองที่มีต่อเหล่านักพาณิชย์ศิลป์ เช่น เขาเขียนบทความ
“ประวัติศาสตร์พาณิชย์ศิลป์ของโลก” ในปีค.ศ. 1940 โดยตั้งเป้าหมายในการเขียนบทความว่า
“ข้าพเจ้าเขียนบทความชิ้นนี้เพื่อพัฒนาวงการพาณิชย์ศิลป์ของประเทศเรายิ่งขึ้น ซึ่งกำลังเติบโตอย่างก้าวกระโดดบนเวทีโลกในช่วงสองสามปีมานี้ และข้าพเจ้ายังต้องการจะตอบสนองต่อการตระหนักรู้ใหม่ถึงพาณิชย์ศิลป์และความปรารถนาอันแรงกล้าที่จะได้รับคำสอนของประชาชนทั่วไป ในขณะเดียวกันก็มีบทความ ความคิดเห็นและข้อถกเถียงต่าง ๆ ว่าด้วยพาณิชย์ศิลป์ซึ่งค่อนข้างทรงพลัง แต่กลับไม่มีองค์กรใดที่จัดการเรื่องพาณิชย์ศิลป์อย่างครบวงจร ไม่มีผู้ใดที่มีสมรรถภาพในการดำเนินการเรื่องต่าง ๆ ต่างคนต่างพูดแต่สิ่งที่ตนสนใจและมองเห็นอยู่ ทำให้เกิดความขัดแย้งอย่างต่อเนื่อง มีการแบ่งพรรคแบ่งฝ่าย ทุกคนรณรงค์กันอย่างเอาเป็นเอาตายภายในประเทศชาติอันคับแคบ ข้าพเจ้าเห็นสภาพเหล่านี้ก็รู้สึกว่าเราจำเป็นต้องยอมละทิ้งลักษณะนิสัยโดดเดี่ยวของคนเมืองเกาะอย่างญี่ปุ่นและกลายตัวเป็นพลเมืองโลกในฐานะผู้นำและผู้สร้างสรรค์วัฒนธรรมสมัยใหม่ให้แก่เอเชียบูรพา และอุทิศตนให้กับทั้งมนุษยชาติบนโลกใบนี้ ไม่เพียงแต่วงการพาณิชย์ศิลป์เท่านั้น ข้าพเจ้าจึงเขียนบทความชิ้นนี้ขึ้นมาเพื่อเรียกร้องสิ่งเหล่านี้”[3] ซาโตมิยังพูดถึงพาณิชย์ศิลป์ด้วยว่า
“การสร้างสรรค์พาณิชย์ศิลป์ไม่ได้หมายถึงการออกแบบสิ่งต่าง ๆ เท่านั้น แต่ผู้สร้างสรรค์พาณิชย์ศิลป์จำเป็นต้องเรียนรู้มิญชวิทยาแห่งการโฆษณา ให้การฝึกสอนเทคโนโลยีการพิมพ์กับผู้อื่นได้ และมีความสามารถและเทคนิคในการสร้างสรรค์เชิงวิทยาศาสตร์และเศรษฐศาสตร์ ศิลปินที่มีสิ่งเหล่านี้อย่างครบถ้วน จึงถูกเรียกได้ว่านักพาณิชย์ศิลป์ เพราะฉะนั้น นักพาณิชย์ศิลป์จำเป็นต้องให้ความช่วยเหลือในการขับเคลื่อนนโยบายของประเทศชาติ และต้องมีความสามารถเพียงพอที่จะเปลี่ยนสถานการณ์ได้เพื่อโฆษณาประเทศชาติ เพื่ออุดมการณ์ เพื่อให้เกิดผลประโยชน์แก่ประเทศของตน ไม่ว่าด้วยวิธีใดก็ตาม (...) หากจะพูดให้ประชาชนทั่วไปจะเข้าใจ คือ พวกเรานักโฆษณาจะเมินเฉยเรื่องศีลธรรมสามัญสำนึกและเรื่องลิขสิทธิ์ไม่ได้ แต่เมื่อตัดสินใจสนับสนุนและโฆษณาประเทศชาติก็ต้องทำทุกวิถีทาง ไม่ถึงกับบอกให้ประชาชนเรียนรู้กลวิธีในการโฆษณาของจีน แต่ข้าพเจ้าเรียกร้องให้คนในชาติตระหนักความสำคัญและเปิดหูเปิดตากับเรื่องการโฆษณา”[4] กล่าวคือ ซาโตมิยืนยันว่านักพาณิชย์ศิลป์ของญี่ปุ่นควรจะสถาปนาองค์กรครบวงจร มุ่งมั่นที่จะนำความรู้และเทคนิคต่าง ๆ เกี่ยวกับการโฆษณา การพิมพ์ วิทยาศาสตร์และเศรษฐศาสตร์มาประกอบกับทุกวิถีทางเพื่อโฆษณาอุดมการณ์ของประเทศชาติ

ในบทความชิ้นดังกล่าว ซาโตมิยังอ้างอิงถึงคำพูดของโยทาโร ซุงิมุระ (ค.ศ. 1884-1939) อดีตเอกอัครราชทูตประจำประเทศฝรั่งเศสที่ว่า
“คนเราชาวญี่ปุ่นไม่ควรจะอยู่ในกรอบคับแคบอย่างห้องแบบญี่ปุ่นขนาดสี่เสื่อครึ่ง แต่ควรจะพิจารณาวัฒนธรรมที่ยิ่งใหญ่ของจีนและโลกตะวันออกอีกรอบ และสร้างวัฒนธรรมใหม่แบบเอเชียบูรพา” และกล่าวต่อว่าหากคนญี่ปุ่น

なる図案の製作で無く、広告組織学を修め印刷技術を指導し、科学と経済上の技術的創作力を持つ芸術家のみを産業美術家と云ふことが出来るのである。故に産業美術家は国家の政策推進に協力し、自国宣伝の為め、或はイデオロギーの為め、あらゆる手段を以て自国を有利に転回せしめ得るだけの実力を持たなければならない。(中略)最も通俗的に云へば、我々広告人には道徳観念、著作権問題を無視することは出来ないが、事一度び国家を単位として宣伝する場合にはあらゆる手段を講ずべきであり、支那の宣伝術を学べと云ふのではないが、宣伝に対する我が国民の覚醒を要求」している[4]。すなわち、日本の商業美術家たちは統一的組織を形成し、広告や印刷、科学や経済の知識や技術など、あらゆる手段を動員してイデオロギーの宣伝に邁進すべきであることを説くのである。

さらに、続けて駐仏大使であった杉村陽太郎(1884–1939)の言葉「四畳半式な小スケールで無く、偉大なる支那、東洋文化を再検討し、新らしき東洋亜細亜文化を我々日本人が建設すべきである」を引き合いに出しつつ、「我々日本人はもつと真剣に欧米文化を徹底的に研究しなければ、真実の日本、支那、印度文化を永久に回復することが出来ない。「西洋文化に対する再検討」「偉大なる亜細亜文化に対する再認識」」をする必要があるとしている[5]。ここで里見は、昭和13年(1938)に第1次近衛内閣によって唱えられた「東亜新秩序」を念頭に置いていることは明らかである。同年11月3日に発表された「東亜新秩序建設の声明」をみると「この新秩序の建設は日満支三国相携へ、政治、経済、文化等各般に亘り互助連環の関係を樹立するを以て根幹とし、東亜に於ける国際正義の確立、共同防共の達成、新文化の創造、経済結合の実現を期するにあり。是れ実に東亜を安定し、世界の進運に寄与する所以なり」という一文がある[6]。つまり、声明のなかに東亜の新しい文化が形作られることが期待されていることが看取され、杉村大使の発言を引用した里見の見解とも重なってくるのである。このように、里見は、戦時体制下の国家の方針に沿いつつ、商業(=産業)美術家たちが国家宣伝に寄与すべきとしたり、当時のイデオロギー「東亜新秩序」に即した発言をしたりしていることがわかる。

3. 1940年前後のタイにおける里見宗次

里見の日本滞在は永くは続かず、昭和16年(1941)7月、フランス語が堪能な数少ない日本人として仏領インドシナとタイとの国境画定のためサイゴン(現ホーチミン)に派遣される。サイゴン滞在時には、日・仏印親善ポスターや《FOIR DE SAIGON》といったポスターを制作している[7 p.22]。この時期、雑誌『プレスアルト』[8]に「同志よ技術を南方へ」というタイトルで寄稿している。その内容をみると「我々ハ先ヅ空間的ニモ精神的ニモ南方ヲ支配スルダケノ気概ヲ持タナケレバナラナイ。武力進駐ニ対スル文化進駐!ソレヨリモ最モ今ノ日本ガ必要トスル事ハ偉大ナル宣伝力ノ進駐ダ!!」とある[9]。先述した

ไม่ศึกษาวัฒนธรรมประเทศตะวันตกอย่างเคร่งครัดกว่าตอนนี้ ไม่มีวันที่วัฒนธรรมแท้จริงของญี่ปุ่น จีน และอินเดียจะฟื้นกลับมา เพราะฉะนั้นคนญี่ปุ่นจำเป็นต้อง “พิจารณาวัฒนธรรมตะวันตกอีกรอบ” และ “สร้างสำนึกใหม่ต่อวัฒนธรรมเอเชียอันยิ่งใหญ่”[5] เห็นได้ชัดว่าในหัวของซาโตมิคิดถึง “ระเบียบใหม่ของเอเชียบูรพา” ที่ถูกเสนอโดยคณะรัฐมนตรีของนายกโคโนเอะสมัยที่ 1 ในปีโชวะที่ 13 หรือปีค.ศ. 1938 “แถลงการณ์สร้างระเบียบใหม่ของเอเชียบูรพา” ที่ประกาศขึ้นในวันที่ 3 เดือนพฤศจิกายนปีเดียวกัน บอกว่า “รากฐานของการสร้างระเบียบใหม่นี้ คือ ความร่วมมือและความช่วยเหลือซึ่งกันและกันระหว่างสามประเทศอย่างญี่ปุ่น แมนจูเรีย และจีนในด้านต่าง ๆ เช่น การเมือง เศรษฐกิจ และวัฒนธรรม เพื่อให้ได้มาซึ่งการสถาปนาการยุติธรรมระดับนานาชาติในเอเชียบูรพา ความสำเร็จในการสร้างแนวป้องกันการแผ่ขยายของลัทธิคอมมิวนิสต์ การสร้างสรรค์วัฒนธรรมใหม่ และการร่วมมือทางเศรษฐกิจ ทั้งหมดเหล่านี้จะทำขึ้นเพื่อความมั่นคงของเอเชียบูรพาที่แท้จริงและสนับสนุนการพัฒนาของโลก”[6] เรามองเห็นได้จากแถลงการณ์นี้ว่ารัฐบาลโคโนเอะคาดหวังให้สร้างวัฒนธรรมใหม่ของเอเชียบูรพา ความคาดหวังนี้อาจจะสอดคล้องกับความคิดเห็นซาโตมิซึ่งอ้างถึงคำพูดของทูตซุงิมุระ ตามที่ได้กล่าวไว้ ซาโตมิได้ทำตามนโยบายภายใต้ระบอบการปกครองช่วงสงครามของรัฐบาลญี่ปุ่น เขายังได้บอกด้วยว่านักพาณิชย์ศิลป์ควรจะช่วยเหลือโฆษณาชวนเชื่อของรัฐบาล และยังมีคำพูดที่มีแนวคิดสอดคล้องกับ “ระเบียบใหม่ของเอเชียบูรพา” ซึ่งเป็นอุดมการณ์ทางการเมืองของรัฐบาลญี่ปุ่นสมัยนั้น

3. มุเนสึงุ ซาโตมิในประเทศไทยช่วงปีค.ศ. 1940

ซาโตมิอยู่ญี่ปุ่นได้ไม่นาน เดือนกรกฎาคม ปีโชวะที่ 16 หรือค.ศ. 1941 เขาถูกส่งไปที่ไซง่อน (โฮจิมินห์ในปัจจุบัน) เพื่อกำหนดเส้นแบ่งเขตแดนระหว่างประเทศไทยกับอินโดจีนของฝรั่งเศส ในฐานะเป็นคนญี่ปุ่นที่แตกฉานในภาษาฝรั่งเศส ซึ่งมีน้อยคนในสมัยนั้น ตอนพำนักอยู่ไซง่อน เขาวาดโปสเตอร์มิตรภาพระหว่างญี่ปุ่นและอินโดจีนของฝรั่งเศส และโปสเตอร์ «FOIR DE SAIGON»[7 น. 22] เขายังเขียนบทความชื่อ “เพื่อนร่วมอุดมการณ์ นำเทคโนโลยีไปยังใต้” ลงในวารสาร “PRES ARTO”[8] ในบทความชิ้นนี้ซาโตมิกล่าวว่า “ก่อนอื่น พวกเราต้องมีความกล้าหาญพอที่จะครอบครองภาคใต้ทั้งเชิงพื้นที่และเชิงจิตใจ การตั้งฐานทัพด้วยกำลังวัฒนธรรมอยู่ตรงข้ามกับการตั้งฐานทัพด้วยกำลังอาวุธ! เหนือกว่านั้น สิ่งที่ประเทศญี่ปุ่นในวันนี้ต้องการ คือ การตั้งฐานทัพด้วยกำลังแห่งโฆษณาอันยิ่งใหญ่!!”[9] เห็นได้ว่าซาโตมิเขียนบทความนี้ให้สอดคล้องกับ “แนวคิดวงไพบูลย์ร่วมแห่งมหาเอเชียบูรพา” ที่คณะรัฐมนตรีของนายกโคโนเอะสมัยที่ 2 ได้ประกาศในปีโชวะที่ 15 หรือปีค.ศ. 1940 ซึ่งเป็นทั้งแนวคิด ความพยายาม และนโยบายที่ยืนยันการอยู่ร่วมและเจริญเติบโตร่วมของประเทศต่าง ๆ อย่างอินโดจีนของฝรั่งเศส ไทย พม่า อินเดีย ออสเตรเลียซึ่งมีญี่ปุ่น แมนจูเรียและจีนเป็นศูนย์กลาง เพื่อสร้างความชอบธรรมให้กับการรุกรานและครอบครองเอเชียของญี่ปุ่น ซึ่งมาแทนประเทศตะวันตก

หลังจากนั้น ซาโตมิได้ย้ายไปตั้งหลักใหม่ที่กรุงเทพฯ ประเทศไทยในเดือนพฤศจิกายน ปีโชวะที่ 18 หรือปีค.ศ. 1943 เนื่องจากเขาได้รับคำขอร้องให้ไปประดับตกแต่งอาคารวัฒนธรรมญี่ปุ่น-ไทยและวางแผนงานมิตรภาพญี่ปุ่น-ไทยในฐานะเจ้าหน้าที่ของอาคารฯ[10] ทาเคชิ ยานางิซาวะ (ค.ศ. 1889-1953) ซึ่งเป็นผู้อำนวยการคนแรกของอาคารได้กล่าวไว้ว่า อาคารวัฒนธรรมญี่ปุ่น-ไทยคิดค้นขึ้นโดยคิโยชิ คุโรดะ (ค.ศ. 1893-1951) กรรมการผู้จัดการของสมาคมส่งเสริมวัฒนธรรมนานาชาติ เพื่อให้เป็นอาคารประเภทเดียวกับอาคารวัฒนธรรมญี่ปุ่นที่นิวยอร์ก และมีกำหนดจะถูกสถาปนาขึ้นให้เป็นองค์กรครบวงจรตามกลยุทธ์วัฒนธรรมต่อประเทศไทย ซึ่งอยู่ภายใต้การควบคุมดูแลของกระทรวงมหาเอเชียบูรพาที่ถูกตั้งขึ้นในเดือนพฤศจิกายน ปีค.ศ. 1942[11] ช่วงฤดูใบไม้ผลิของปีค.ศ. 1943 ได้มีการกำหนดให้สร้าง

「東亜新秩序」をさらに発展させ、昭和15年（1940）に第2次近衛内閣が発表した「大東亜共栄圏構想」、すなわち日満支を中心に、仏印、タイ、ビルマ、インド、オーストラリアなどを含む地域の共存共栄を主張し、欧米諸国にかわって日本のアジア支配を正当化しようとする政策に基づいたコメントであることが見て取れよう。

その後、昭和18年（1943）11月タイ・バンコクに移住する。これは、日泰文化会館の館員として会館の装飾や日泰親善企画を依頼されたためである[10]。日泰文化会館は、初代館長の柳澤健《たけし》（1889–1953）よれば、国際文化振興会の専務理事であった黒田清（1893–1951）によってニューヨークの日本文化会館と同様のものとして発想され、1942年11月に発足した大東亜省監督下の対タイ文化工作の一元的機関として設置されることになったという[11]。1943年春にルンピニー公園付近の隣接地に15,000坪の会館を建設することになった。1943年6月13日付の『朝日新聞』には「日泰文化会館陣容決定す」という記事にて各担当の氏名が発表され、里見は美術・映画の担当者として記載されている。しかしながら、計画された建造物としての日泰文化会館は、戦局の悪化や日本の敗戦により、実現はしなかったようである[12]。

里見は、バンコクに移住して以来、日泰文化会館の開設準備や日・タイ美術展および日泰両国の文化を紹介する目的で1944年に創刊された『日泰文化』（第1号を発行した後休刊）の表紙[図2]を担当するなどしている。また、タイ国駐屯軍司令官であった中村明人《あけと》中将（1889–1966）とも知り合い、「義」部隊 ―― 「義」はタイ国駐屯軍の文字符 ―― の宣伝部長となり、日・タイ親善ポスター・コンクールを開催している。中村はタイの独立を尊重して日泰親善に努めたといわれ、日泰文化会館についても「軍もまたなしうるかぎりの協力を惜しまなかった」という[13]。

美術展について、日本美術の紹介に終始しなかった経緯には館長である柳澤の意向が働いていると考えられる。柳澤は、タイにおける文化工作について次のように述べる。「性急に我が文化の対タイ工作を図らんとしても、時として其の結果は寧ろ逆となる惧れある可き点を反省せざる可からず。（中略）我が文化工作を効果あらしめんとせば、出来得る丈け彼国並に彼国民と和衷協力の実を挙げ、決して之れに無理強ひするが如き事なからんこと是非共必要なりと信ず」という[14]。文化会館の使命としては「我国文化の対泰宣揚工作に存することは言ふ迄もない所であるが、若しその工作の一切が我側の一方的且独善的な計画の実施といふので終るものであつたならば、到底所期する結果は収め得ないものと言はざるを得ぬ。況んや大東亜の新文化を創造するといふが如き雄渾にして広大なる大事業は、それこそ痴者夢を説くの境に堕し果つるであらう」というのである[15]。すなわち、一方的な日本文化の押し付けではなく、タイ文化を尊重して交流することによって、大東亜における新しい文化を生み出すことができるというのである。この「大東亜の新文化の創造」については、里見が杉村大使の発言を引用して述べたこととも

อาคารบนพื้นที่ที่ติดกับสวนลุมพินีซึ่งมีความกว้างถึงประมาณ 50,000
ตารางเมตร “หนังสือพิมพ์อาซาฮิ” ฉบับวันที่ 13 เดือนมิถุนายน ปีค.ศ.
1943 รายงานว่า
“ได้มีการกำหนดตำแหน่งในโครงการสร้างอาคารวัฒนธรรมญี่ปุ่น-ไทย”
พร้อมรายชื่อผู้ที่รับผิดชอบในด้านต่าง ๆ ชื่อของซาโตมิปรากฏขึ้นในฐานะผู้
ดูแลเรื่องศิลปะและภาพยนตร์ แต่ดูเหมือนว่าอาคารวัฒนธรรมญี่ปุ่น
-ไทยไม่ได้ถูกสร้างขึ้นตามที่วางแผนไว้ เนื่องด้วยสภาวะของสงครามที่เลวร้าย
ลงและการพ่ายแพ้สงครามของญี่ปุ่น [12]
หลังจากย้ายถิ่นฐานไปยังกรุงเทพฯ ซาโตมิยังทำงานศิลปะด้วย เช่น เขาวาด
ปกให้กับวารสาร “วัฒนธรรมญี่ปุ่น-ไทย”
(งดการตีพิมพ์หลังตีพิมพ์ฉบับแรก) ที่ได้เปิดตัวในปีค.ศ. 1944 เพื่อรายงาน
ความคืบหน้าของอาคารวัฒนธรรมญี่ปุ่น
-ไทยและนิทรรศการศิลปะญี่ปุ่น-ไทย และแนะนำวัฒนธรรมของประเทศทั้ง
สอง [รูปที่ 2] นอกจากนี้ซาโตมิได้รู้จักกับพลโทอาเกโตะ นากามุระ (ค.ศ.
1889–1966) ที่เป็นผู้บัญชาการกองทัพจักรวรรดิญี่ปุ่นประจำประเทศไทย
และซาโตมิรับหน้าที่เป็นหัวหน้าแผนกโฆษณาของกองทัพญี่ปุ่นประจำ
ประเทศไทยซึ่งมีชื่อรหัสว่าหน่วย “กิ (ความซื่อสัตย์)” เขาได้จัดการประกวด
โปสเตอร์มิตรภาพญี่ปุ่น-ไทย ว่ากันว่าพลโทนากามุระให้ความเคารพต่อ
เอกราชของไทย มุ่งมั่นที่จะสร้างมิตรภาพระหว่างญี่ปุ่นกับไทย และ
“ทางกองทัพก็ยินดีให้ความร่วมมือเป็นอย่างมากเท่าที่จะทำได้” [13] ในการเปิด
อาคารวัฒนธรรมญี่ปุ่น-ไทย

เหตุผลที่ซาโตมิจัดนิทรรศการศิลปะญี่ปุ่น-ไทยแทนที่จะแสดงผลงาน
ศิลปะญี่ปุ่นอย่างเดียว คาดเดาได้ว่าความต้องการของยานางิซาวะที่เป็น
ผอ.อาคารฯ ส่งผลต่อด้วย ยานางิซาวะกล่าวเกี่ยวกับกลยุทธ์ทางวัฒนธรรม
ในประเทศไทยไว้ดังนี้
“หากจะปฏิบัติตามกลยุทธ์วัฒนธรรมของเราด้วยความรีบร้อน ต้องตระหนัก
และมีความกลัวตลอดว่าเกิดผลลัพธ์ที่ตรงข้ามกับสิ่งที่เราคาดหวังไว้ (…)
หากต้องการให้เกิดผลจากกลยุทธ์ทางวัฒนธรรม เราจำเป็นต้องสร้างความ
ร่วมแรงร่วมใจกับประเทศของเขาเท่าที่จะมากได้ และไม่ควรบังคับให้พวกเขา
ทำตามโดยเด็ดขาด เราเชื่อว่าสิ่งเหล่านี้จำเป็นอย่างยิ่ง” [14] ยานางิซาวะยังพูด
ถึงภารกิจของอาคารฯ ด้วยว่า “ไม่ต้องบอกก็ทราบกันดีว่า พวกเราสร้าง
อาคารวัฒนธรรมญี่ปุ่น-ไทยเพื่อเผยแพร่วัฒนธรรมของประเทศชาติไปยัง
ประเทศไทย แต่หากโครงการของเราจบลงด้วยการปฏิบัติที่เห็นแก่ตนของ
เรา ก็ต้องย้ำด้วยว่าไม่มีวันที่จะให้เกิดผลตามที่เราคาดหวังไว้ ยิ่งไปกว่านั้น
แผนการอันกล้าหาญและกว้างไพศาลที่จะสร้างวัฒนธรรมใหม่ของมหาเอเชีย
บูรพานั้นก็ล้มเหลวลง อย่างกับว่าความเพ้อฝันของคนบ้า” [15] กล่าวอีกอย่าง
คือ ยานางิซาวะคิดว่าไม่ควรยัดเยียดวัฒนธรรมญี่ปุ่นเข้าใส่ให้อีกฝ่าย
ยอมรับ และหากเคารพวัฒนธรรมไทยและแลกเปลี่ยนกันได้ ก็สามารถสร้าง
วัฒนธรรมใหม่ของมหาเอเชียบูรพาได้
“การสร้างวัฒนธรรมใหม่ของมหาเอเชียบูรพา” ดังกล่าวก็สอดคล้องกับคำ
กล่าวของซาโตมิ ซึ่งเขาได้อ้างถึงคำพูดของทูตซุงิมุระ มีความเป็นไปได้ว่าซา
โตมิคงคำนึงถึงความคิดเห็นของยานางิซาวะดังกล่าว ทำงานอย่างเต็มที่เพื่อ
จัดนิทรรศการศิลปะญี่ปุ่น-ไทย และออกแบบปกให้กับ
“วัฒนธรรมญี่ปุ่น-ไทย” ซาโตมิคงรับหน้าที่ในการทำให้ความคิดของยา
นางิซาวะที่เป็นผอ.อาคารวัฒนธรรมญี่ปุ่น-ไทยเป็นรูปเป็นร่าง ในด้านศิลปะ
หรือกราฟฟิกดีไซน์

บทสรุป

ญี่ปุ่นพ่ายแพ้สงครามในปีโชวะที่ 20 หรือปีค.ศ. 1945 ขณะซาโตมิพำนัก
อยู่ที่กรุงเทพฯ และเขาก็ถูกควบคุมตัวที่ค่ายพิทักษ์บางบัวทองซึ่งอยู่จังหวัด
ปริมณฑล ก่อนเขาถูกควบคุมตัว ทรัพย์สินของเขาทุกอย่าง เช่น
หนังสือเดินทาง รถยนต์ ตู้เย็น เฟอร์นิเจอร์ ผลงานของตัวเอง และหนังสือเล่ม
ต่าง ๆ ก็ถูกยึดและเผาทิ้งไป แต่ภายในค่ายเขาได้รับอิสรภาพระดับหนึ่ง และ

図2　รูปที่ 2
『日泰文化』表紙
ปกวารสาร "วัฒนธรรมญี่ปุ่น-ไทย"
1943

図3　รูปที่ 3
《バーンブアトーン収容所の様子》
京都工芸繊維大学美術工芸資料館蔵
«สภาพของค่ายพิทักษ์บางบัวทอง»
เก็บไว้ที่พิพิธภัณฑ์และหอจดหมายเหตุของสถาบัน Kyoto Institute of Technology
1943

図4　รูปที่ 4
新聞広告切り抜き
京都工芸繊維大学美術工芸資料館蔵
โฆษณาหนังสือพิมพ์ที่ตัดออกมา
เก็บไว้ที่พิพิธภัณฑ์และหอจดหมายเหตุของสถาบัน Kyoto Institute of Technology
1948年頃
ราวปีค.ศ. 1948

似かよっている。里見は、柳澤のこうした考えを汲みつつ、日・タイ美術展の開催に尽力し、あるいは『日泰文化』の表紙を作成したのではないだろうか。里見は、美術あるいはグラフィック・デザインという分野において日泰文化会館長である柳澤の考えを具現する役割を担っていたものと考えられるのである。

おわりに

里見は、昭和20年（1945）バンコクで終戦を迎え、郊外のバーンブアトーン収容所に抑留される。収容所に入る前に、パスポート、車、冷蔵庫、家具、作品、本などすべて没収・焼却されてしまったが、収容所内は比較的自由が認められ「竹を切って自分で家を建てたり庭を作ったりする事が出来たので、バッカンスの様に楽しかった」と回想している[16]。その収容所の様子を示しているのが図3である。昭和21年（1946）に内地送還のため収容所から解放されるものの、バンコクに残留し、劇場の舞台装置を制作したり『バンコク・ポスト』の広告デザインなどを手掛ける[図4]。さらに昭和23年（1948）に、シルパコーン大学の顧問となり、タイ初の美術公募展「バンコク・サロン」の創設に尽力し審査員となるなど、タイの美術界に少なからぬ貢献をした。そして昭和27年（1952）に、日本ではなくフランスへ戻ることになる。このように、里見の人生の半分は移動とともにあった。とくに1940年前後の日本から仏印、そしてタイにおいては、時の状況に応じてイデオロギーに与するような発言や活動を行い、自身の果たすべき役割を認識し、その場所にて与えられた仕事を精一杯こなしていたように思われる。里見は、1940年に日本に帰国した際、商業美術家たちに対して「死か生の岐路に立つて居る我が国作家達は産業美術家は此れを一つのチヤンス、一画期として奮起しなければならない」と鼓舞しているのだが[17]、自身に対して述べているようにも思える。里見は戦時体制下という状況を、グラフィック・デザイナーとしての技術を駆使できるチャンスとして捉え、クライアントの意向に誠実に応えようとしていたと思われる。

เขาเคยรำลึกความหลังว่า “ภายในค่าย เราตัดไม้ไผ่และสร้างบ้านสร้างสวนด้วยตนเองได้ ใช้ชีวิตสนุกสนานกันเหมือนกำลังเที่ยวพักผ่อนอยู่” [14] และเขายังวาดสภาพภายในค่ายไว้ [รูปที่ 3] เขาถูกปลดปล่อยให้เป็นอิสระเพื่อถูกส่งกลับไปประเทศญี่ปุ่นในปีโชวะที่ 21 หรือปีค.ศ. 1946 แต่เขากลับอยู่กรุงเทพฯ ต่อ เขาทำพร็อพให้กับโรงละครบ้าง ออกแบบให้กับโฆษณาของหนังสือพิมพ์ “บางกอกโพสต์” บ้าง [รูปที่ 4] หลังจากนั้น เขาได้เป็นที่ปรึกษาของมหาวิทยาลัยศิลปากรในปีโชวะที่ 23 หรือปีค.ศ. 1948 และมุ่งมั่นที่จะสถาปนานิทรรศการ “Bangkok Salon” ซึ่งเป็นนิทรรศการเปิดรับสมัครผลงานจากประชาชนทั่วไปครั้งแรกของไทย และรับหน้าที่เป็นกรรมการคัดเลือกผลงานด้วย แสดงให้เห็นว่าซาโตมิมีส่วนช่วยเหลือให้กับวงการศิลปะของไทยไม่น้อย และเขาได้กลับฝรั่งเศสแทนที่กลับญี่ปุ่นในปีโชวะที่ 27 หรือปีค.ศ. 1952 อย่างที่ได้กล่าวมาข้างต้น ซาโตมิย้ายถิ่นฐานมาตลอดเกือบครึ่งชีวิตของเขา โดยเฉพาะอย่างยิ่ง ช่วงปีค.ศ. 1940 เขาย้ายถิ่นไปมาระหว่างญี่ปุ่น อินโดจีนของฝรั่งเศสและไทย ทำงานและแสดงความคิดเห็นเพื่อให้สอดคล้องกับอุดมการณ์ทางการเมืองของรัฐบาลโดยได้รับอิทธิพลจากสภาพแวดล้อมและยุคสมัย เขารับรู้ถึงหน้าที่ของตน และทำงานที่ได้รับมอบหมาย ณ สถานที่นั้นนั้นอย่างเต็มที่ ตอนซาโตมิกลับญี่ปุ่นในปีค.ศ. 1940 เขาให้กำลังใจกับเหล่านักพาณิชย์ศิลป์ว่า “นักสร้างสรรค์และนักพาณิชย์ศิลป์ของประเทศเรา ซึ่งกำลังเผชิญหน้ากับทางแยกของความเป็นและความตายนั้น ต้องถือว่าสถานการณ์เยี่ยงนี้ คือ โอกาสอย่างหนึ่ง และให้กำลังใจกับตนเพื่อให้ฮึกเหิมขึ้น” [15] แต่ดูเหมือนว่าเขากำลังพูดกับตัวเขาเองด้วย ซาโตมิมองว่าสถานการณ์ในสงครามเป็นโอกาสที่ดีที่ใช้ความสามารถของตนในฐานะกราฟฟิกดีไซเนอร์ และพยายามตอบสนองความต้องการของลูกค้าอย่างสัตย์ซื่อ

1 国際観光局の依頼によって制作された《JAPAN》ポスターおよび《ORIENT CALLS》ポスターに関する詳細については拙稿「外客誘致の宣伝戦略 —— 里見宗次《JAPAN》ポスターの制作背景に関する考察 —— 」『デザイン理論』第72号、2018年と「東亜は呼ぶ —— 里見宗次《ORIENT CALLS》ポスターの制作背景に関する考察 —— 」『大正イマジュリィ』第14号、2019年を参照のこと。

2 里見宗次「ポスターの感想」、『プレスアルト』第42号、1941年、7頁。

3 里見宗次『世界産業美術史』日本広告倶楽部、1940年、1頁。

4 前掲書、7頁。

5 前掲書、22–23頁。

6 アジア歴史資料センター所蔵「近衛首相演述集」（その二）／ 1 第一章「声明、告諭、訓令、訓辞」 https://www.jacar.go.jp/topicsfromjacar/pdf/02_006_01_01_0008.pdf 参照。

7 里見によればサイゴンの市長に頼まれて製作したようである。

8 『プレスアルト』とは、京都高等工芸学校（現在の京都工芸繊維大学）の近くで古本屋を営んでいた脇清吉（1902〜1966）が、解説や評論が掲載された冊子に自身が収集した実際の広告印刷物を挟み込み頒布したユニークな雑誌である。1937年に創刊され、休刊を挟んで1977年頃まで発行されていた。プレスアルトについては西村美香「プレスアルト研究会にみる広告物収集とその意義について」『デザイン理論』第34号、1995年を参照のこと。

9 里見宗次「同志よ技術を南方へ」『プレスアルト』第50号、1941年、1頁。

10 山口雅代『戦前・戦中のタイにおける日本語普及と諜報工作 —— チェンマイ日本語学校とインパール作戦』（大空社、2016年、142頁）によれば、外交史料館の史料「I.1.10.02」に在バンコク日本文化会館に関する件として、1942年7月付で日泰文化会館長柳澤健より国境画定委員会の里見宗次をバンコク文化会館の館員として採用方申し渡すので、赴任旅券をするようにとの電信が残されているとしている。

11 柳澤健『泰国と日本文化』不二書房、1943年、15頁。1942年10月28日に締結された「日本国「タイ」国間文化協定」が法的根拠となっている。

12 実際には、バンコクのチャオプラヤー河畔の2階建て家屋に1943年5月に発足したようである。建物の手狭さから東京にて新文化センター建設が計画されたものの、戦局の悪化により結局頓挫した。市川健二郎「日泰文化協定をめぐる異文化摩擦」『大正大學研究紀要』第79号、1994年、91頁参照。

13 中村明人『ほとけの司令官 駐タイ回想録』日本週報社、1958年、70頁。

14 柳澤、前掲書、95頁

15 柳澤、前掲書、138頁

16 里見宗次『のすどディヤマン』自費出版、1981年

17 ムネ・サトミ「思ふまゝに」『プレスアルト』第39号、1940年

※引用にあたり仮名遣いはそのまま記し、旧漢字は新字にあらためました。

แปลโดย Sho Fukutomi

1 ดูรายละเอียดของโปสเตอร์ «JAPAN» และ «ORIENT CALLS» ที่วาดขึ้นโดยคำขอร้องจากกรมการท่องเที่ยวนานาชาติได้จากบทความของผู้เขียนสองชิ้น ได้แก่ "กลยุทธ์โฆษณาเพื่อดึงดูดแขกต่างชาติ — วิเคราะห์ภูมิหลังกระบวนการสร้างผลงานโปสเตอร์ «JAPAN» ของมุเนสึงุ ซาโตมิ — [外客誘致の宣伝戦略 —— 里見宗次《JAPAN》ポスターの制作背景に関する考察 ——]", ทฤษฎีดีไซน์ [デザイン理論], ฉบับที่ 72, 2018 และ "เอเชียบูรพากำลังเรียก — วิเคราะห์ภูมิหลังกระบวนการสร้างผลงานโปสเตอร์ «ORIENT CALLS» ของมุเนสึงุ ซาโตมิ — [東亜は呼ぶ —— 里見宗次《ORIENT CALLS》ポスターの制作背景に関する考察 ——]", Taisho Imagery [大正イマジュリィ], ฉบับที่ 14, 2019.

2 มุเนสึงุ ซาโตมิ [里見宗次], "ความคิดเห็นที่มีต่อโปสเตอร์ [ポスターの感想]", PRES ARTO [プレスアルト], ฉบับที่ 42, 1941, น. 7.

3 มุเนสึงุ ซาโตมิ [里見宗次], ประวัติศาสตร์พาณิชย์ศิลป์ของโลก [世界産業美術史], สโมสรการโฆษณาญี่ปุ่น, 1940, น. 1.

4 Ibid., น. 7.

5 Ibid., น. 22-23.

6 "รวมการปาฐกถาของนายกโคโนเอะ" (ชุดที่ 2) /1 บทที่ 1 "แถลงการณ์, เทศนา, คำสั่ง, คำชี้แนะ" ซึ่งเก็บไว้โดย Japan Center for Asian Historical Records ดูได้จาก https://www.jacar.go.jp/topicsfromjacar/pdf/02_006_01_01_0008.pdf

7 ซาโตมิกล่าวว่าเขาวาดโปสเตอร์ชิ้นนี้เพราะได้รับคำขอร้องจากผู้ว่าการกรุงไซง่อน

8 วารสาร PRES ARTO คือ วารสารที่ทำโดยเซกิจิ วากิ (ค.ศ. 1902–1966) ซึ่งเป็นเจ้าของร้านหนังสือมือสองที่ตั้งอยู่ใกล้กับโรงเรียนหัตถกรรมชั้นสูงเกียวโต (สถาบัน Kyoto Institute of Technology ในปัจจุบัน) วากิเสียบสิ่งพิมพ์เพื่อการโฆษณาที่ตัวเองได้รวบรวมไว้ในวารสารที่ตีพิมพ์บทความต่าง ๆ และแจกจ่าย ถือได้ว่าเป็นวารสารที่มีเอกลักษณ์เฉพาะตัว เริ่มตีพิมพ์เมื่อปีค.ศ. 1937 มีอยู่ช่วงหนึ่งที่งดการตีพิมพ์ และเริ่มตีพิมพ์อีกครั้งจนถึงราวปีค.ศ. 1977 สามารถดูรายละเอียดเกี่ยวกับ PRES ARTO ได้จากบทความดังนี้ มิกะ นิชิมุระ [西村美香], "กระบวนการรวบรวมสิ่งพิมพ์เพื่อการโฆษณาและความหมายของมัน ในสมาคมศึกษา PRES ARTO [プレスアルト研究会にみる広告物収集とその意義について]", ทฤษฎีดีไซน์ [デザイン理論], ฉบับที่ 34, 1995.

9 มุเนสึงุ ซาโตมิ [里見宗次], "เพื่อนร่วมอุดมการณ์ นำเทคโนโลยีไปยังใต้ [同志よ技術を南方へ]", PRES ARTO [プレスアルト], ฉบับที่ 50, 1941, น. 1.

10 มาซาโยะ ยามากุจิ [山口雅代], การเผยแพร่ภาษาญี่ปุ่นและจารกรรมในประเทศไทยช่วงก่อนและระหว่างสงคราม —โรงเรียนภาษาญี่ปุ่นที่เชียงใหม่และการรบที่อิมฟาล [戦前·戦中のタイにおける日本語普及と諜報工作 —— チェンマイ日本語学校とインパール作戦] (โอโชระชะ, 2016, น. 142.) กล่าวว่าจดหมายเหตุหมายเลข "I. 1. 10. 02" ของหอจดหมายเหตุทางการทูตเขียนไว้ว่ามีโทรเลขฉบับหนึ่งที่มีหัวเรื่องว่า ว่าด้วยอาคารวัฒนธรรมญี่ปุ่นในกรุงเทพฯ ซึ่งมีเนื้อหาดังต่อไปนี้ ตั้งแต่เดือนกรกฎาคม ปีค.ศ. 1942 เป็นต้นไป ทาเคชิ ยานางิซาวะ ผู้อำนวยการอาคารวัฒนธรรมญี่ปุ่น-ไทยจะรับมุเนสึงุ ซาโตมิจากคณะกรรมการกำหนดเส้นแบ่งเขตแดนระหว่างประเทศมาเข้าทำงานเป็นเจ้าหน้าที่ของอาคารวัฒนธรรมในกรุงเทพฯ จึงจำเป็นต้องทำหนังสือเดินทางสำหรับการทำงานในสถานที่แห่งใหม่

11 ทาเคชิ ยานางิซาวะ [柳澤健], ประเทศไทยกับวัฒนธรรมญี่ปุ่น [泰国と日本文化], ฟูจิโชโบ, 1943, น. 15. "ข้อตกลงว่าด้วยเรื่องวัฒนธรรมระหว่างประเทศญี่ปุ่นกับประเทศไทย" ที่ทำขึ้นในวันที่ 28 เดือนตุลาคม ปีค.ศ. 1942 สร้างความชอบด้วยกฎหมายให้กับแผนการสร้างอาคารวัฒนธรรมญี่ปุ่น-ไทย

12 แท้ที่จริงแล้วได้มีการเปิดสำนักงานในบ้านสองชั้นริมแม่น้ำเจ้าพระยา ในเดือนพฤษภาคม ปีค.ศ. 1943 แต่เนื่องจากความคับแคบของสำนักงาน จึงมีแผนใหม่เพื่อสร้างศูนย์วัฒนธรรมในกรุงโตเกียว แต่ในที่สุดก็ได้ยุติลง เนื่องด้วยสภาวะของสงครามที่เลวร้ายลง ดูได้จาก เคนจิโร อิชิคาวะ [市川健二郎], "ความขัดแย้งระหว่างวัฒนธรรม ว่าด้วยประเทศไทยกับวัฒนธรรมญี่ปุ่น [日泰文化協定をめぐる異文化摩擦]", Memoirs of Taisho University [大正大學研究紀要], ฉบับที่ 79, 1994, น. 91.

13 อาเกโตะ นากามุระ [中村明人], ผู้บัญชาการนิสัยพระผู้มีเมตตา [ほとけの司令官 駐タイ回想録], นิโองชูโฮชะ, 1958, น. 70.

14 ยานางิซาวะ, Ibid., น. 95.

15 ยานางิซาวะ, Ibid., น. 138.

16 มุเนสึงุ ซาโตมิ [里見宗次], Noces de Diamant [のすどディアマン], หนังสือทำมือ, 1981.

17 มุเนะ ซาโตมิ [ムネ·サトミ], "ตามใจคิด [思ふまゝに]", PRES ARTO [プレスアルト], ฉบับที่ 39, 1940.

池ノ内篤人のサイパン渡航について

佐原しおり　埼玉県立近代美術館学芸員

五月十日 晴
五時起床。／サイパンに上陸す。バナヽと／パヽイヤ。木の緑は何んとも／云へぬ美しさ。カルメンの様な／チヤモロ娘。太陽の輝き。／熱帯々々[1]。

昭和初期、若い芸術家たちによる前衛美術グループが叢生した時期があった。フランスを中心とするヨーロッパの美術に魅了され、旺盛に吸収せんとする熱気が充満していた時代であった。「シュールレアリスムを標榜した最初のグループのひとつ[2]」である「NINI（ニイニイ）」の創設メンバーであり、その後1934年から新造型美術協会に参加した画家・池ノ内篤人の活動もまた、この潮流のなかに位置付けられている。しかしながら、これらの先端的な芸術運動は右傾化する日本社会のなかで徐々に制限されていった。その後のアジア・太平洋戦争の混乱の中でその多くが忘れ去られ、今日知ることのできる情報は極めて限られている。

冒頭で引用したのは、1941年、30歳の池ノ内篤人がサイパン島に渡航した頃の日記に記された文章である。彼は何のためにサイパン島に渡ったのだろうか。本稿は池ノ内の遺族への聞き取りや残された資料をもとに、彼のサイパン島滞在について検証するものである。

横浜発フランス行き、サイパン止まり

池ノ内が参加していた新造型美術協会は1938年頃に自然解散したと考えられており、その後の彼の動向はこれまで明らかにされてこなかった。しかし、池ノ内の没後の1991年に妻・よね子が発行した私家版『池ノ内篤人作品集』には1941年に描かれた《サイパン島の風景》2点と《サイパン島のスケッチ》1点が掲載されている。このことから、筆者は彼がこの年にサイパン島に渡っていたのではないかと考えていた。機会を得てご遺族に伺ってみると、当時、池ノ内はフランスに向かうべく日本を離れたものの、情勢の悪化によってサイパン島から日本に引き返してきたのだという。

最初に聞いた時は、そうかそんなこともあるものなのかと単純に受け止めていた筆者であったが、当時の状況を調べるにつれ疑問を抱くようになった。ここからは、1941年の5月5日から5月9日にかけての日記から、サイパン島に到るまでの池ノ内の足取りを辿っていく。日記は次のようにはじまる。

Atsuhito Ikenouchi's passage to Saipan

Shiori Sahara Curator of the Museum of Modern Art, Saitama

On 10 May a sunny day
Woke up at 5 am. Landed at Saipan. Banana and Papaya, the greenness of trees are beautiful beyond description. Chamorro girl like Carmen. Sunshine. Tropical, tropical.[1]

At the beginning of Showa era, there was a time when many avant-garde groups were formed by young artists. It was also a time when people was fascinated by European art, especially by that of France, and was filled with enthusiasm of trying to absorb. The activity of Atsuhito Ikenouchi who is a member of NINI, which is one of the first groups that advocate surrealism,[2] and participated Shinzokei Bijutsu kyokai from 1934, is also working on this context. However, this avant-garde artistic movement is gradually regulated in the Japanese society drifting to the right. As much of them has been forgotten during the subsequent turmoil in the Asia-Pacific war, the information available today is extremely limited.

The quotation at the beginning is a sentence written in a diary when Atsuhito Ikenouchi at the age of 30 traveled to Saipan Island in 1941. Why he visited to Saipan Island? The purpose of this paper is to examine his stay in Saipan Island based on interviews with bereaved family of Ikenouchi, and the remaining materials.

From Yokohama to France, stop at Saipan

Shinzokei Bijutsu kyokai in which Ikenouchi participated, is considered to have dissolved naturally around 1938, so his subsequent activities have not been revealed. However, in the book "The work of Atsuhito Ikenouchi", which was self-published in 1991 after the death of Ikenouchi, with his wife Yoneko as publisher, two *Landscape of Saipan Island* and *Sketch of Saipan Island* are recorded. From this, I thought that he had gone to Saipan Island this year. When I asked the bereaved family for an opportunity, they talked to me that at that time Ikenouchi left Japan to go to France, but due to the worsening state of affairs, he returned to Japan from Saipan Island. When I heard it for the first time, I was simply wondering this could be the case, but I started questioning as I examine the situation of that time. From here, I will follow the footsteps of Ikenouchi reaching to Saipan Island based on the diary from May 5th to May 9th in 1941. The diary starts as below.

On 5 May sunny.
At 11 am departed from Yokohama. Windy and waved from around 2 pm.

五月五日、晴

午前十一時、横浜出帆。／午後二時頃より風強く、波高し。

五月六日、曇

六時、起床。／昨夜の風止んでゐる。夕方には／スツカリ風なし。波はゆるやかに／うねつてゐる。昨日から、一羽の／海鳥が船について飛んで／ゐる。今晩から賣店が開かれる。

五月七日、晴

五時起床。小笠原島が／遠く水平線の彼方に見える。／日陰に入らねばもう暑い。／飛魚がきらて〳〵と波の間を／飛ぶのが時々、見える。

五月八日、晴

五時起床。／晝頃よりウラカス火山が見える。／遠くより見るときは富士山そつ／くりだ。近づくにしたがつて、山の／形がハツキリして来る。全山、／アカツチ色だ。灰色の煙を／むく〳〵と火口から、はいてゐる。／雲はもう熱帯の景色だ。

五月九日、晴

五時起床。／夕方、四時半頃、サイパンに／着く。今日、スコール二回あり。

横浜港から船で出発した池ノ内は2日後に小笠原諸島付近を通り、翌日には北マリアナ諸島の北端に到達している。「ウラカス火山」とはウラカス島（ファラリョン・デ・パハロス島とも呼ばれる）という無人島にある活火山のことである。ここからさらに南下し、出港の4日後にはサイパンに到着していることがわかる。

この時期、横浜からサイパンに行く方法としては日本郵船株式会社、南洋汽船株式会社が運航する海路、もしくは大日本航空株式会社が運航する空路の2通りがあった。当時は西廻線、東廻線、サイパン線という3つの海路があったが、池ノ内は横浜港出航後そのままサイパン島に到着しているので、沖縄や八丈島を経由しない西廻線か東廻線の船に乗った可能性が高い[3]。

ここで問題となってくるのは、果たしてサイパンを経てフランスへと向かう海路が存在したのか、ということである。日本郵船株式会社が運航する「郵便定期航路横濱倫敦線」の当時の航路は「横浜—名古屋—大阪—神戸—門司—上海—基隆—香港—新嘉坡—彼南—古倫母—亞丁—坡西土—ナポリ—馬耳塞—ジブラルタル—倫敦」を経由するもので[4]、門司を出港した後は上海へ出て、そのまま大陸沿いにヨーロッパへと向かっていたことがわかる。地図を広げてみてもサイパンを経由すると遠回りになることは明らかであり、ヨーロッパへ向かう航路でサイパンを通る便があったとは考えにくい。

さらにヨーロッパの状況を鑑みると、1941年というのはフランスに

On 6 May cloudy.

Woke up at 6 am. The wind of last night stopped. In the evening wind completely stopped. Wave is gently swelling. From yesterday one sea bird is flying on the ship. A shop will be opened from tonight.

On 7 May sunny.

Woke up at 5 am. I see Ogasawara Islands, far away of the horizon. It is already hot if you do not enter the shade. I see flying fish is flying between the waves sometime.

On 8 May sunny.

Woke up at 5 am. The Uracas volcano can be seen from around noon. Seeing from far, it looks like the Mount Fuji. As you come closer, the shape of mountain get clearer. All mountain, the color of red clay. It releases a gray smoke from the crater. The clouds are already tropical scenery.

On 9 May sunny.

Woke up at 5 am. In the evening, at around 16:30 arrived at Saipan Island. Today, there was squalls twice.

Ikenouchi who departed from Yokohama port, passed the neighborhood of the Ogasawara 2 days later. On the next day he reached the northern end of Northern Mariana Islands. "Uracas volcano" is an active volcano located at uninhabited island called Uracas (also called Farallon de Pajaros). From this part, one can know that Ikenouchi went further south, and arrived at Saipan 4 days after his departure.

At this time, there were two ways to go to Saipan. One is a sea route operated by Nippon Yusen Kaisha, and Nanyo Kisen Kaisha, the other is a sky route operated by Dai Nippon Koku Kaisha. At that time, there were three sea routes. The West Line, the East Line, and the Saipan Line. As Ikenouchi arrived at Saipan directly after the departure from Yokohama port, it is highly likely that he took the West line or the East line without going through Okinawa and Hachijo-jima. [3]

The question here is whether there was a sea route to France through Saipan. The stopping spot of "regular postal route Yokohama London line" at that time operated by Nippon Yusen Kaisha was "Yokohama-Nagoya-Osaka-Kobe-Moji-Shanghai-Keelung-Hong Kong-Singapore-Penang-Colombo-Aden-Port Said-Napoli-Marseille-Gibraltar-London".[4] From this sea route, you can know that after the ships left Moji, it went to Shanghai and headed straight for Europe along the continent. When you open the map, it is clear that it will be a detour if you go through Saipan, so it is unlikely that there was a sea routes through Saipan on the route to Europe.

Furthermore, considering the situation in Europe at that time, 1941 was a "too late" time to go to France. When World War II broke out in 1939, the war situation continuously deteriorated. From this time, Japanese painters who had stayed in France have been withdrawn. In May 1940, Tsuguharu Foujita was on his way to home boarding the Fushimi Maru from

行くには「遅すぎる」時期であった。1939年になり第二次世界大戦が勃発すると戦況は悪化の一途を辿り、この頃からフランスに滞在していた日本人画家たちは続々と引き揚げている。1940年5月には藤田嗣治がマルセイユ（馬耳塞）発の伏見丸に乗船し帰国の途についている。さらにナチス・ドイツの侵攻によって同年6月14日にパリが陥落すると日本大使館から退避命令が通達され、猪熊弦一郎、岡本太郎、荻須高徳らが最後の引揚船となる白山丸に乗ってマルセイユを後にしたことがわかっている。

戦後、池ノ内は当時を振り返って、戦争のせいでフランス行きが反故になった無念を度々訴えていたそうだが、このような状況のなか民間人が1941年5月にフランスへと渡ることは難しかったであろうし、池ノ内の日記にもフランス行きに関する記述は見当たらなかった。以上の点を踏まえると、池ノ内がヨーロッパの戦況が落ち着くタイミングを見計らって、フランスに渡ろうと考えていた可能性もあるが、横浜港出発の時点で綿密にフランス行きを計画していたとは考え難い。ひとまずは気軽に行きやすい日本領のサイパンに向かったのではないかと推察される。

「南洋群島」と日本

戦時期の日本人画家たちにとって、南国の風景は比較的ポピュラーな画題であったといってよい。1941年12月に日本軍が真珠湾を攻撃し、マレー半島に上陸すると太平洋戦争が勃発する。翌年、日本軍がマニラやシンガポールをはじめとする東南アジアの要所を占領すると、アメリカ、イギリスといった欧米列強への勝利が国民を沸かせ、南方への進出を後押しした。この頃から鶴田吾郎、中村研一、宮本三郎など陸海軍から委嘱を受けた多くの画家が南方に渡っており、「彩管報国」の名目で戦闘の場面や現地の風土を描出している。

ここで踏まえるべきなのは、新たな侵略先である東南アジア諸国に渡った従軍画家たちと、日米開戦前に日本領サイパン島に渡った池ノ内の間には大きな違いがあったということである。

たとえば、藤田嗣治による《サイパン島同胞臣節を全うす》［1945年、東京国立近代美術館（無期限貸与作品）］は、アメリカ軍によって追い詰められた日本人による集団自決を取材した作品である。1000人以上の民間人が崖から飛び降りる様は敵国のアメリカ軍にとっても衝撃的な光景であり、サイパン島北端にあるマッピ岬はいまでも「バンザイ・クリフ」と呼ばれている[5]。

一般的に、太平洋戦争激戦の地であるサイパン島には痛ましいイメージが伴うが、1941年5月にサイパン島を訪れた池ノ内の目には、もう少し「平和」な南洋の風景が広がっていたはずである。しかし、この「平和」はあくまでも日本本土の人々にとってのものであり、そこにはさまざまなかたちで搾取や差別が存在していた。

Marseille. Furthermore, when Paris fell on June 14 due to the invasion of Nazi Germany, an evacuation order was issued from Japanese embassy, Genichiro Inokuma, Taro Okamoto, Takanori Ogisu left Marseille by boarding Hakusan Maru, which was the last repatriation ship.

After the war, Ikenouchi looking back on that time, often complained that the plan of going to France was cancelled because of the war, but given the badness of the situation at that time, it must have been difficult for civilians to go to France. In addition, there was no description about going to France in the diary of Ikenouchi.

Based on the points above, Ikenouchi might have planned to go to France at the timing that the war situation in Europe calming down, but it is unlikely that he minutely planned to go to France at the time of departure from Yokohama port. It is presumable that he headed for Saipan for a while, a Japanese territory that is easy to reach.

"The South Sea Islands" and Japan

For the wartime Japanese painters, the tropical landscape was a relatively popular as a motif. In December 1941, the Japanese army attacked Pearl Harbor and landed on the Malay Peninsula, the Pacific War broke out. The following year, when the Japanese army occupied main parts of Southeast Asia such as Manila, and Singapore, the victory over western powers such as the United States and Britain swelled the people, which supported advancing to the south. Since around this time, many painters commissioned by the army and navy such as Goro Tsuruta, Kenichi Nakamura, Saburo Miyamoto, have passed to the south, depicting the scenes of battles and the local climate under the name of "Saikan Houkoku".

What you should take into account here is that there was a big difference between the war artists who passed to the Southeast Asian countries that is newly invaded place, and Ikenouchi who crossed the Saipan Island which was a Japanese territory, before breaking out the Pacific War.

For example, the work of Tsuguharu Foujita "Compatriots on Saipan Island Remain Faithful to the End" (1945, The National Museum of Modern Art, Tokyo lend for an indefinite period) is a work based on the collective self-determination by the Japanese who were caught up by the US military. More than 1000 civilians jumping off the cliff is a shocking scene for the US military as enemy, the Marpi Point at the northern tip of Saipan Island is still called the "Banzai Cliff."[5]

In general, Saipan Island where the place of the fierce battle while the Pacific War has a painful image but for Ikenouchi who visited Saipan Island in May 1941, there might have been a more "peaceful" landscape of southern. However, this peacefulness is only for the people in mainland of Japan, where exploitation and discrimination existed in various ways.

On 29 September at Jaluit
Today I saw a sports festival for the children of the islands.

九月二十九日 ヤルートで。
きょうは、島民の子どもたちのうんどうかいを見ました。
まっくろな女の子たちが、
「トントン、トンカラリト、トナリグミ」
と歌いながら、ゆうぎをしました。
三年生だそうです[6]。

1941年7月2日、小説家の中島敦はパラオ南洋庁国語編修書記としてサイパン島に上陸している。ちょうど池ノ内がサイパン島に滞在していた頃である。島民の教科書編纂のために派遣された彼の仕事は、南進を国策として制定した日本政府の目論見の一端を担っていたのである。中島は、マーシャル諸島に位置するヤルート島で現地の子どもたちが日本の童謡「隣組」を歌う様子を活写している。泥沼化する日中戦争によって日本社会は疲弊し、この頃の日本では国家総動員体制のもと「隣組」の運動会が全国各地で開かれていたのであった。現地住民の子どもたちは「公学校」に入れられ、毎朝のように君が代を斉唱したという。さらに一定の学年以上になると母語の使用を禁じられていた。

16世紀以降のスペイン領時代、そして19世紀末以降のドイツ領時代を経て、1914年から日本に占領されたミクロネシアに点在するマリアナ諸島、カロリン諸島、マーシャル諸島の島々は「南洋群島」と呼ばれるようになった。現地住民たちは「未開」の民族として差別され、圧政を敷かれ続けてきたのである。池ノ内の日記や中島の小説で使われる「カナカ」という言葉は、カロリン諸島の先住民であるカロリニアンの蔑称であり、また「土人」という言葉も度々出てくる。中島が日本にいる妻・タカに宛てた手紙には「こちらで育った幼児は大抵、島民に似た容貌《かお》をしているんだよ。確かに、色の黒いのは仕方が無《ナ》いとしても、目がドングリ眼で髪がちぢれて、唇が厚いんだ。頭も島民の子に近いんじゃないかと思う。（中略）ノチャボンが、そんなになっちゃ、僕はいやだな[7]」と記されており、さらに池ノ内の日記にも「男女の内地の子供が／隣りで話してゐる。／おませな話をして居る。土人の子供／の話をして居る」と書き残されている。「内地」と植民地は決して混ざり合うことなく、強固なヒエラルキーが持続していたのであった。

さらに、当時差別の対象になっていたのは「南洋群島」の人々だけではなかった。当時島々で流行った歌のなかに、次のような歌詞があるそうだ。

> 一等国民日本人、二等国民沖縄人、三等国民豚・カナカ・チャモロ、四等国民朝鮮人[8]

日本が占領した島々には、本土から多くの開拓者が押し寄せた。熱帯のジャングルは開墾され「西村拓殖」「南洋殖産」などが相次

> Sunburnt girls played singing as below
> "Tonton, Tonkararito, Tonarigumi"
> I heard they are third grades.[6]

On July 2 in 1941, novelist Atsushi Nakajima landed on Saipan Island as a secretary of Japanese language editing in the Palau South Sea Agency. It was exactly when Ikenouchi was staying on Saipan Island. His work, which was to compile the textbooks of people in the Islands played a part for the plan of the Japanese government, that established the advance southward as a national policy. Nakajima describe vividly the picture of local children singing Japanese nursery rhyme "Tonarigumi" (Neighborhood Association) on Jaluit Island in the Marshall Islands. Japanese society was exhausted by the swamping the Second Sino-Japanese war and at this that time in Japan, the athletic event as "Tonarigumi" (Neighborhood Association) were held all over the country under the national mobilization system. The local children were put into "public school", then forced to sing Kimigayo (Japan's national anthem) every morning. Furthermore, the use of mother tongue was prohibited after a certain academic grade.

Through the period of Spanish territory since the 16th century and the period of German territory since the end of 19th century, the islands such as Mariana, Caroline, Marshall scattered in Micronesia where have been occupied by Japan since 1914 began to be called "South Sea Islands". The original residents were discriminated as "undeveloped" ethnic groups, and continued to be politically oppressed. The word "Kanaka" used in the diary of Ikenouchi and the novel of Nakajima is the disparaging term of Carolinian, an original resident of Caroline Island. Sometimes the word "Dojin" (barbarians) is also used. In a letter from Nakajima to his wife Taka who was in Japan, it is written that "the child raised here generally have a face that looks like the people in the island. It can't be helped that the skins are black, but the eyes are like acorn, and the lips are thick. The head also looks like the children of the Island. I would mind if Nochabon become like that[7]". In addition, it is also written in the diary of Ikenouchi that "the children of the mainland, men and women are talking. something about precocious. Talking about the child of Dojin". The "inland" and the colonized place was never mixed, a hierarchy strongly persisted.

Furthermore, the peoples of "South sea Islands" were not only subject to be discriminated. Among the songs that were popular at that time, there are the following lyrics.

> First class citizen is Japanese, second class citizen is Okinawan people, third class citizen is pig, Kanaka, Chamorro, fourth citizen is Korean.[8]

Many settlers rushed from the mainland to the islands occupied by Japan. The tropical jungle was reclaimed and companies such as "Nishimura Takusyoku"and "Nanyo Shokusan" tried to make sugar industry one after another, but all of them couldn't keep

いで製糖業を試みたが、いずれもすぐに経営が立ちいかなくなった。島での労働力を補うために多くの朝鮮人が連れてこられたが、事業が失敗すると彼らは島に取り残されてしまった[9]。その後、福島県出身の実業家・松江春次が再度製糖業に取り組み、この際には当時人口過剰となっていた沖縄から多くの移民を受け入れている。沖縄からの移民の数はわずか一年半で2200人を超えたという[10]。松江が創業した「南洋興発」はサイパン島南西部のチャランカノアに工場を建て、徐々に安定した収益を上げられるようになっていった。こうして「南洋群島」の経済が発展し、その中心であるサイパン島は「南洋の東京」と呼ばれるまでとなった。

麗しの常夏を描く

池ノ内の黒表紙の手帳には、「南洋群島」に滞在した時期の出来事が淡々と記されている。この日記は、当地における池ノ内の足跡を辿るのみならず、日本統治下の島々の日常に潜む政治性をリアルに伝えている。まずはサイパン島上陸直後の様子を見てみよう。池ノ内は1941年5月10日にサイパン島に上陸した後、次のようなルートで南洋の島々を巡っていたことがわかっている。

5月10日　サイパン島上陸
5月12日　テニアン島上陸
5月13日–14日　テニアン島出港
5月15日　ヤップ島着、午後出港
5月16日　パラオ着
5月19日　パラオ出港
5月20日　ヤップ島着
5月21日　テニアン島着
5月22日　テニアン島上陸後、連絡船でサイパンへ
5月23日–7月17日　サイパン島滞在

2週間弱島々を巡り5月23日にサイパン島に戻った後、翌日にはサイパン支庁に居住届を提出し、3ヶ月の写生許可証を得ている。この後はサイパン島に留まり、そのほとんどの時間をスケッチや油絵制作に費やしている。「パヽイヤのある／風景を一つスケツチする」「裏山の島民の家からパンの木／とマンゴーを貰って来て描く」「チヤモロの家スケツチ」。チャモロ人とは、マリアナ諸島の先住民を指す。日記に記された言葉に違わず、池ノ内のスケッチは南国らしい風物に溢れている。ここで描かれたドローイング、水彩、油彩の一部が遺族の手元に残されているのだが、それらはNINIや新造型美術協会で活動した頃のものと比較すると具象性の高いものであり、そこには南国で出会った未知の風景を忠実に描き取ろうとする池ノ内の関心が看取される。ほかにも次のような記録が見られる。

up the management. Many Koreans were brought to make up the workforce on the islands, but once business failed, they were left behind on the islands.[9] After that, Haruji Matsue, a businessman from Fukushima prefecture, worked on the sugar industry again, accepting many immigrants from Okinawa which was overpopulated at that time. The number of immigrants from Okinawa exceeded 2200 in just one and a half year.[10] "Nanyo Kouhatsu" established by Matsue, has built a factory in Chalan Kanoa in the southwestern part of Saipan Island. It gradually began to make stable profits. In this way the economy of "South sea Islands" developed, and the Saipan Islands which was the center of economy, was called "Tokyo in the south sea".

Draw a beautiful everlasting summer

In the notebook of Ikenouchi which has the black cover, the things happened during the time of staying at South Sea Islands is dispassionately described. This diary not only traces the footsteps of Ikenouchi, but also convey the politics hiding in the dairy life on the islands under Japanese rule. First, let's take a look at the situation immediately after having landed on Saipan Islands. It is understandable that Ikenouchi visited the south islands by the following route after landing on Saipan Island on May 10 1941.

On 10 May landing on Saipan Island
On 12 May landing on Tinian Island
On 13–14 May departure from Tinian Island
On 15 May arrival at Yap Island, departure afternoon
On 16 May arrival in Palau
On 19 May departure from Palau
On 20 May arrival on Yap Island
On 21 May arrival at Tinian Island
On 22 May after landing on Tinian Island, passed to Saipan by ferryboat
On 23 May–17 July stay in Saipan Island

After visited the islands for 2 weeks and returning to Saipan Island on May 23, the next day he submitted a residence report to the Saipan branch office and obtained a three-month sketch permit. After that he stayed on Saipan Island spent most of his time working on sketches and oil painting. "Sketch a landscape with papaya" "Draw a breadfruit tree and mango from a house in the back mountain" "sketch the house of Chamoro". Chamoro refer to the indigenous people of Mariana Islands. No different from the words written in his diary, the sketch of Ikenouchi are full of tropical features. Some of the drawings, watercolors, oil paintings, drawn here are remained in the hands of bereaved family, but they are more concrete than those of drawn at NINI and Shinzokei Bijutsu Kyokai. You can find out the interest of Ikenouchi that tried to draw faithfully the unknown scenery that he met in the southern country. In addition the following records also can be seen.

六月二十日（金）　晴

（中略）グラウンドで少年達が、／規律正しくグライダーの／練習をやつてゐる。／グラウンドの向ふメリケン松の／林を通して海、／海には軍艦、／海の向ふにリーフの白い波、／空には、入道雲。

日記によれば、池ノ内は6月14日に「ポンタムチヨウグラウンド[11]」を訪れて野球の試合を観戦しており、以降連日のようにグラウンドに通っている。ここでは少年たちがグライダーの練習をしていたと記述されているが、おそらく池ノ内はスポーツを見にグラウンドに通ったのではないだろう。「少さい入道雲」「リーフの白波」という書き込みのあるドローイングが残っており[p. 48 図48]、松林の向こうに広大な海と空が広がる風景をスケッチしていたと考えられる。7月には、次のような記述もあった。

七月九日（水）　曇、雨

一日中、雨が降っては止み、降っ／ては止む。／午後二時頃迄ブツサウーゲ／の花を描く。

「ブツサウーゲ」とはブッソウゲ（仏桑花）、別名ハイビスカスのことである。この日に描かれたものかは定かでないが、瑞々しく彩られたハイビスカスのスケッチも残っている[p. 42 図19]。

各地から多くの労働者が移住するようになると、サイパン島の中心部・ガラパンには郵便局、警察、学校、デパートや八百屋などが建ち並び、街は見る見るうちに栄えていった。さらには旅館や遊郭も増え、日本本土と変わらない街並みが広がっていたようである。日記を辿ると、池ノ内はサイパン島滞在中のかなりの時間を、このガラパンで過ごしていたようである。特にガラパンにある2つの映画館「サイパン劇場」と「彩帆キネマ」には頻繁に通っており、サイパン島滞在期間中に14回も足を運んでいる。

また時々泡盛を嗜み、沖縄の芝居を鑑賞するなど、沖縄文化に親しんでいたようだ。

五月二十八日（水）　晴

夕食後、南座に沖縄の芝居／を見に行く。沖縄の踊りと／「山田上等兵の出征」と云ふ芝居／がある。女形が蛇皮線に合せて／悠長に踊る。芝居は全々／言葉がわからない。

「南座」とは沖縄演劇専門の劇場である。池ノ内の日記からは、当時のサイパン島における娯楽のなかに、沖縄の文化が色濃く反映されていることがわかる。さらに別日にはサイパン神社でニュース映画と紙芝居を見ており、サイパン島では日本本土と同じように大衆メディアに触れられる環境があったことが示されている。

On 20 June Friday sunny

[...] The boys in the ground are practicing the glider in a regulated manner. Through the forest of the American pine beyond ground. There is sea. The warship in the sea. White waves of reef over sea. A thunderhead in the sky.

According to the diary, Ikenouchi visited the “Pontam Cho Ground” [11] on June 14 to watch a baseball game, and thereafter, frequent to the ground. It is described here that the boys were practicing glider, but Ikenouchi probably did not go to the ground to watch sports. The drawings with the writing of “Slight thunderhead” and “White wave of reef” remained [p. 48 fig. 48] and it is thought that he sketched the landscape of the vast ocean and sky beyond the pine forest. In July, there was also the following description.

On 9 July Wednesday cloudy rainy

All day, it rains, and stops and rains again then stops. At around 2 pm, draw flowers of Butsusauge.

“Butsusauge” is a Bussouge, also known as a hibiscus. It is not sure whether it was drawn on this day, but there is still a freshly colored hibiscus sketch [p. 42 fig. 19]

When many workers immigrated from various places, the post offices, police, schools, department stores, and greengrocers were constructed on the center of Saipan, Garapan and the city flourished immediately. In addition, the number of hotel and Yukaku has increased. And it seems that the cityscape has become not so different from mainland of Japan. Looking at the diary, Ikenouchi seems to have spent a considerable amount of time in Garapan during his stay on Saipan Island. In particular, he frequently went to two movie theaters, which are “Saipan Theater” and “Saipan Kinema” in Garapan. He visited 14 times during his stay in Saipan Island.

It seemed that he was familiar with Okinawan culture, sometimes enjoying Awamori and watching Okinawan performance.

On 28 May Wednesday Sunny

After dinner, went to south theater to watch Okinawan play. There are Okinawan dances and the play titled “the expedition of First class soldier Yamada”. The female part dances leisurely along the snakeskin strings (Jabisen). All the plays are I don’t understand the language.

“Minamiza” (south theater) is a theater specializing in Okinawan theater. From the diary of Ikenouchi, You can see that Okinawan culture is strongly influenced in the entertainment of Saipan Island at that time. On another day, he watched a news movie and a picture-story show at Saipan shrine, and this shows that there was an environment where people could enjoy popular media on Saipan Island as with the mainland of Japan.

「南洋群島」とゴーギャン

1910年代から40年代の間に「南洋群島」に渡航した美術家は50人あまりだと言われている。その中には、川端龍子（1934年渡航）、北川民次（1939年渡航）、赤松俊子（1940年渡航）などが含まれている。滝沢恭司は、画家たちによる「南洋群島」渡航の背景には、ゴーギャンの影響があることを指摘している[12]。実際、生前の池ノ内も好きな画家としてゴーギャンの名前をあげており[13]、サイパン行きの背景にはゴーギャンの影響があった可能性もある 。ゴーギャンの存在は明治期以降『白樺』で紹介され、1913年に自伝的随筆『ノア・ノア』の翻訳が刊行されると、日本でも広く知られるようになっていた。

しかしながら、「日本人美術家の作品へのゴーギャンの影響は、造形のレヴェルを越えて現れることはなかった。ゴーギャンがタヒチでの精神的葛藤から創りだした象徴的、神秘的表現に類するものを認めることはできないのである[14]」と滝沢が指摘するように、「南洋群島」と深く向きあうためには、画家たちの滞在期間はあまりに短すぎた。中島敦は「南洋群島」に向けられた日本人の視線の陳腐さを辛辣に指摘している。

> お前は島民をも見ておりはせぬ。ゴーガンの複製を見ておるだけだ。ミクロネシアを見ておるのでもない。ロティとメルヴィルの画いたポリネシアの色褪せた再現を見ておるのに過ぎぬのだ[15]。

灼熱の太陽と青い海、鮮やかな色彩の熱帯植物。南方の島々が備えるエキゾティックな魅力は、日本本土から来た人々の好奇心を大いに刺激するものであった。だが中島が描出するように、当時「南洋群島」を訪れた知識人・文化人の多くが、欧米人の見出したポリネシアのイメージを当地の風景に重ね合わせたことも事実だろう。日本領「南洋群島」を通して、フランス領のタヒチを眼差す行為は、どこまでも「脱亜入欧」を志向し、アジア諸国を侵略した日本の蛮行と精神性を共にしているように思えてならない。

終戦、そして戦後へ

池ノ内の日記は「七月十七日（木）晴／チヤモロの家をスケツチ。」を最後に途切れている。次のページからは「手紙を書く事」「熱帯の特長を系統だてゝ調べる事」といったメモ、「100エン／アサツテマデニ／デンカワセデタノム／イサイフミ／イケノウチ」（100円／明後日までに／電為替[16]で頼む／委細文／池ノ内）など送金を頼む電報の下書き、お金の計算をしているような筆算などが細々と記されている。単に紙幅が尽きて日記をやめたのか、続きの日記帳が失われてしまったのか今となってはわからないが、残されたスケッチの裏に「検閲済証 昭和16.8.19 南洋庁サイパン支庁」という検閲印が押されていることから、3ヶ月という写生許可証の有効期間（1941年5月～8月）いっ

“The South Sea Islands” and Gauguin

It is said that there were approximately 50 artists who traveled to “The South Sea Islands” from 1910 to 1940. Including Ryushi Kawabata (traveled 1934) , Tamiji Kitagawa (traveled 1939) , Toshiko Akamatsu (traveled 1940). Kyoji Takizawa points out that there is influences of Gauguin on the background of painter’s travel to The South Sea Islands.[12] In fact, Ikenouchi in his lifetime also named Gauguin as his favorite painter,[13] and there may have had an influence of Gauguin on the background of going to Saipan. The existence of Gauguin was introduced in “Shirakaba” since the Meiji period. In 1913, when the translation of the autobiographical essay “Noa Noa” was published, it became widely known in Japan.

However, as Takizawa points out that “the influence of the works of Gauguin to Japanese artists, did not appear beyond the level of modeling. It is impossible to admit something similar to the symbolic and mysterious expression of Gauguin that was produced by his mental conflict from Tahiti.”[14] The time painters stayed was too short to face deeply to the “The South Sea Islands”. Atsushi Nakajima pointed out incisively the banality of the gaze by Japanese toward the “The South Sea Islands.”

> You don’t watch the people of the island. You just see the copy of Gauguin. You don’t even see Micronesia. All you see is only the fading reproduction of Polynesia depicted by Loti and Melville.[15]

Burning sun and blue sea, tropical plants with vivid colors. The exotic attractiveness of the southern islands considerably stimulated the curiosity of people from mainland of Japan. However, as Nakajima described, it is true that many intellectuals who visited “The South Sea Islands” overlapped the image of Polynesia discovered by western people on the local landscape. The act of looking at the French territory of Tahiti through the Japanese territory “The South Sea Islands” seems to intend endlessly “Datsua Nyuo” (out of Asia and into Europe), and has the same spirit with the brutal act of Japan which is the invasion against Asian countries.

End of the war, then after the war.

The diary of Ikenouchi is broken off at the end of “17 July Thursday sunny sketched Chamoro’s house ” From the next page, some notes such as “writing a letter”, “investigating and systematizing the features of tropics.”, “100 yen until the day after tomorrow telegraphic transfer requesting detail text Ikenouchi[16]”, the drafts of requesting telegram remittance and calculation on paper about money is finely written. Today there is no way to know the reason he stopped writing his diary was just ran out of paper or the diary was lost. But on the back page of the left sketches, the censorship mark such as “censored certificate Showa 16, 19 august Nanyo agency Saipan branch” is stamped. Since the censorship mark was stamped, it is assumed

ぱいまでサイパンに滞在したのではないかと推察されるp. 42 図20。

時局を振り返ると、1941年7月末の日本軍による南部仏印進駐の直後に、アメリカは日本への石油輸出を差し止めている。そしてこれが日米開戦の直接的な契機となった。並行して日本の海運統制が強化されると、民間の船舶も軍部に徴用されるようになっていく[17]。さらに言えば、1941年5月の時点で内務省が防諜を理由に「南洋群島」への旅行を控えるよう通告を出していたようで[18]、池ノ内の南洋滞在がはじまった頃にはすでに時局が不安定であったことがわかる。彼自身も当時を振り返り、日本本土に戻ることのできるぎりぎりのタイミングで帰ってきたと言っていたという[19]。

帰りは大日本航空の飛行機で横浜まで戻ってきており、遺族のもとには大日本航空株式会社のパラオ、サイパン、横浜を結ぶ航路のパンフレットが残されている。東京に戻った池ノ内は、すぐに荷物をまとめて地元に戻っていった。秋には地元の親友の義妹であり、以前から親交のあったよね子と結婚し、実家のある神戸の長田ではなく、垂水の借家で新婚生活をはじめている。史跡の多い土地柄から爆撃されにくいこと、また淡路島を望む風光明媚な景観が気に入り垂水を選んだのだという[19]。

翌年の8月には徴用され川崎航空機工業株式会社に入社し、検査工として勤務していたことがわかっている[20]。工場での勤務は終戦まで続いた。戦中から戦後にかけて3人の子どもに恵まれ、1951年には自宅で「垂水洋画研究所」を設立する。戦後は画壇には所属せず、近所の子どもたちに絵を教えながら画業に取り組み続けた。高度経済成長期を経て、海外に行くことは比較的容易になっていったが、池ノ内は日本から一歩も出ることなくそのまま生涯を終えた。結果的に池ノ内が日本本土から離れたのは、サイパン渡航が最初で最後となったのである。

本稿でみてきたわずか3ヶ月間という期間は、79年間生きた池ノ内篤人の人生のごく一部であり、彼について今後も調査すべき情報は数多く残っている。しかし、これまで詳細が知られてこなかった画家の言葉から立ち上がる南洋の島々のイメージは非常に鮮明であり、当時の日本の帝国主義や植民地との関係性を如実に伝えている。当然、時局の悪化そのものが前途有望なひとりのアーティストの夢を志半ばで踏みにじり、30代前半のキャリアを奪ってしまったことは許しがたい事実である。その一方で、翼賛体制と関連付けて語られがちなアジア・太平洋戦争期の沈鬱な日本美術史において、旅行でふらりと南方に赴き、スケッチをして帰った若い画家の清爽なドキュメントは、当時の美術の多様性の一端を示すものでもあるだろう。

that he had stayed in Saipan for the full period of 3 months (May to August in 1941) which was validated period for sketching. p. 42 fig. 20

In retrospect, the United States suspended oil exports to Japan immediately after the Japanese invasion of French Indochina at the end of July 1941. This was direct opportunity for the beginning of the Pacific War. In parallel maritime control is intensified, civilian ships were also gradually used by the military.[17] Furthermore, it seems that on May 1941, the ministry of home affairs had already issued a notification to refrain from traveling to "The South Sea Islands" for the reason of counterintelligence.[18] From this, you can know that from the time Ikenouchi started staying at south, the situation was already unstable. He himself recalled that time and said he went back to mainland of Japan at the last possible moment.[19]

On his way back, Ikenouchi returned to Yokohama by a plane of Dai Nippon Koku Kaisha. A pamphlet of the route connecting Palau, Saipan, and Yokohama of Dai Nippon Koku Kaisha was left for the bereaved family. Ikenouchi who was back to Tokyo, gathered his luggage and returned his hometown. In autumn, he married his local best friend's sister-in-law, Yoneko, with whom he had a close relationship for a long time, and began a new life in a rented house in Tarumi, not in Nagata where his parents live. He chose Tarumi because of the fact that it was the place not easily bombed from the reason of historical sites, and also loved the scenic view of Awaji Island.[20]

It is known that in August of the following year, he joined Kawasaki Aircraft industry Co, Ltd. And worked as an inspector.[21] His work at the factory lasted until the end of the war. Blessed with three children from wartime to post-war. In 1951 he established the "Tarumi Youga Kenkyujo" at his home. After the war, he didn't belong to the art world, continued to work on painting by teaching painting to children in the neighborhood. After a period of high economic growth, going abroad became relatively easy, but Ikenouchi ended his life without taking a step from Japan. As a result, the travel to Saipan was first time and simultaneously the last time for Ikenouchi to have left the mainland of Japan.

The period of only three months that we have seen in this article is a small part of the life Atsuhito Ikenouchi who lived for 79 years and there is still remained a lot of information to be investigated about him. However, the image of the southern islands, which arose from the words of painter whose details have not been known so far, is so vivid, and it clearly conveys the reality of the Japanese imperialism and the relationship between Japan and its colonies at that time. For sure, it is unforgivable that the deterioration of the situation itself has trampled the dream of a promising artist and took over the career in his early 30s. On the other hand, in the depressed Japanese art history during the Asia-Pacific War, which is often mentioned in connection with Yokusan Taisei (Support system of Imperial Rule Assistance Association), the refreshing document of the young painter who went to the south as a trip and sketched, will also show a part of the diversity of art at that time.

Translation by Yusuke Hasegawa

1　池ノ内篤人日記。日記の旧漢字、仮名遣いはそのまま記した。日記の改行部分は「／」で表記した。
2　名古屋市美術館編『日本のシュールレアリスム 1925-1945』カタログ、日本のシュールレアリスム展実行委員会、1990年、76頁
3　南洋庁長官々房調査課編『南洋群島現勢 昭和十四年版』南洋群島文化協会、1939年
4　津端修編『海運年鑑 昭和15年』海商社、1941年、71–72頁
5　井上亮『忘れられた島々「南洋群島」の現代史』平凡社、2015年、101–102頁
6　中島敦「通信 I」『南洋通信』中央公論新社、2001年、37頁
7　同上、11頁
8　寺尾紗穂『南洋と私』中央公論新社、2019年、38頁
9　註5に同じ、64–65頁
10　野村進『日本領サイパン島の一万日』岩波書店、2005年、70-72頁
11　北ガラパンの「ポンタムチヨウ」という場所にあった総合グラウンドのこと。
12　滝沢恭司「美術家と『南洋群島』と日本近代美術と」『美術家たちの「南洋群島」』カタログ（町田市立国際版画美術館・東京新聞編）、東京新聞、2008年、18–19頁
13　遺族への聞き取りによる（2019年9月1日）
14　註11に同じ、21頁
15　中島敦「環礁 —— ミクロネシヤ巡島記抄」『南洋通信』中央公論新社、2001年、179頁
16　電信為替のことか。
17　「海運統制を強化 船舶国家管理へ」『朝日新聞』1941年7月23日 記事には「海運統制強化は戦時的色彩を帯びることは必至であらう」と書かれている。
18　野村進『海の果ての祖国』時事通信社、1987年、218頁
19　遺族への聞き取りによる（2019年9月1日）
20　同上
21　1945年9月に池ノ内が作成した「従事履歴書」による。

1　the diary of Atsuhito Ikenouchi. I wrote the old *Kanji and kana* usage as it were written in the diary.
2　Nagoya City Art Museum, the catalog of "*Surrealism in Japan 1925–1945,*" Surrealism in Japan exhibition executive committee 1990, p. 76
3　Southern Ocean Agency Secretary's Research Department, "*South Sea Islands, Present situation, Showa 14th edition,*" South Sea Islands Cultural Association, 1939
4　Osamu Tsubata, "*Shipping Yearbook, Showa 15,*" Kaishosha, 1941, pp. 71–72
5　Makoto Inoue, "*Wasurerareta shimajima 'nan'yō guntō'* no gendaishi," Heibonsha, 2015, pp. 101–102
6　Atsushi Nakajima, "Press 1," "*Nanyo Press,*" Chuokoron-shinsha, 2001, p. 37
7　*Ibid.* p. 11
8　Saho Terao, "*Nan'yō to watashi,*" Chuokoron-shinsha, 2019, p. 38
9　Makoto Inoue, op. cit., pp. 64–65
10　Susumu Nomura, "Nihon-ryō Saipantō no ichimannichi," Iwanami Shoten, 2005, p. 70–72
11　A general ground in a place called "Pontam Cho" in North Garapan.
12　Kyoji Takizawa, "Artists, 'The South Sea Islands' and Modern Japanese Art", the catalog of "*The South Sea Islands and the Japanese Artists: 1910–41,*" (Machida City Museum of Graphic Arts, Tokyo Shimbun), Tokyo Shimbun, 2008, pp. 18–19
13　By interview to the bereaved family (September 1 2019)
14　Kyoji Takizawa, op. cit. , p. 21
15　Atsushi Nakajima, "atoll—the record of circuit of Micronesia Island," Nanyo Press, Chuokoron-shinsha, 2001, p. 179
16　It might be a telegraph exchange.
17　"Intensification of maritime control to ship state management," *Asahi Shimbun*, July 23, 1941. The article states that "it is inevitable for intensifying maritime control to take on wartime colors".
18　Susumu Nomura, "Umi no hate no sokoku," Jiji press, 1987, p. 218
19　By interview to the bereaved family (September 1, 2019)
20　*Ibid.*
21　According to the "engagement CV" created by Ikenouchi in September 1945.

鑑賞というミニマムな時間と会期というマクロな時間ももちろんのこと、計算機が毎秒計算する、あるいは製作中に行われた展覧会一〇〇〇回分のシミュレーションも含めれば、本作の内には膨大な数の時間軸が林立している。これらの異なるタイムスケールを総合する数値として私たちには「51%」という情報が渡されている。つまり、1%ぶん、作者は積極的に音の発生に働きかけていると。しかし、それも音が鳴らされてしまえば、51のパターンの一つとして、私たちの聴取を相対化させてしまうだろう。風船が破裂し、聴取がシミュレーションあるいは諸知覚の群れへと飛散するその寸前まで、私たちは未来への予感として、作者あるいは風船を「音源」として認めることができる。計算によって仮想的に反復された音響を未来に予感させることで、聴取の条件を析出してみせた本作は、もはや音響再生産技術というカテゴリーをも逸脱してしまっている。

以上三作品を併せて振り返るに、大和田の手がける作品において聴取という想像（あるいは予感）は、内在する諸知覚現象を過去や未来に関係づけることで、その都度「現在」を別なるフォルムで立ち上げるものとして析出されている。《scales》においては「音色」として、《unearth》においては「二億五千万年後」として、《I never lock a door of a room different from the one you are in》においては「49%」として。ならば、大和田の作品が解体する「聴取」とは、「現在」自体の解体に関わっている。そして、それは「音」という一語が本来的に含意する時間的・空間的な連続性を疑うことをも意味している。だが、ここまで高度に抽象的な論題に到達するには、まだ手がかりが足りない。

しかし、ここまでの分析に限っても、以下のように書くことはできるだろう。

技術は、ときに目的に先立って用途なく開発され、私たちはその技術を通じて知覚現象に新たなフォルムを見出し、喚起された目的にしたがったメディアとしてその技術を利用する。スターンは、聴取あるいは耳それ自体を、諸技術の集合がすでに捉え返された「メディア」として疑っている。技術・メディアの発見は、知覚・器官の発見でもある。であるならば大和田俊の作品は、聴覚の用途と輪郭を疑うことで、器官を新たに作り直す身体表象なのだと。

「表面」を探査する知覚だと述べている（『聞こえくる過去　音響再生産の文化的起源』、33頁）。「聴取」はあくまでもそれを連続的に捉え返す時間的な想像力であり、遡行的な体験である。この指摘は、たとえばこの作品を通して具体的に理解することができる。

マイクロフォンは、スピーカーとのあいだで循環するノイズを空間内の乱反射のなかで拾っている、いわばバラバラのソナーとして置かれている。しかしそれが束ねられた球体の構造体として回転しているあいだは、私たちはそれらのソナーが拾うノイズを連続した音響として、「音色」として聞いてしまう。《scales》におけるウニのような構造体は、「聴取」の内的構造である、この分離した知覚と想像力を外在化させたものである。そしてこの音響はハウリングに起因するものであるがゆえ、マイクロフォン、スピーカーのいずれも音源とすることができない。音響に付された空間性ではなく、私たちは空間の把握過程を音響として聞いている。音色と同様、この「空間」なる連続性もまた、複線的な距離の集合として析出されているのはいうまでもない。

《unearth》（2014–）では、「聴取」の解体はさらに徹底される。およそ二億五千万年前に海洋中に生息していた生物の死骸が堆積したものとされる石灰岩が、点滴袋から垂らされたクエン酸がもたらす化学反応によって融解、気化するたびに微細な音を発生させる。これがマイクロフォンによって集音・増幅され、離れて設置されたスピーカーから流される。いくつかのバージョンをもって制作されている本作だが、基本的には先述の構造を共有している。《scales》において展示空間に溶け出した「音源」は、《unearth》においては複合された異なる時間のあいだで蒸発してしまう。

石灰岩が音を記録した録音メディアと扱われ、二億五千万年前の海洋生物の「声」が再生されている、という短絡的な比喩から離れることは容易い。いま、この瞬間に音をもたらしているのは石灰岩、クエン酸のいずれでもなく、両者が接触した際の化学反応であることは間違いない。しかし、このように断定した途端に「音源」へ遡行する想像は困難に行き当たる。空気を振動させるこの化学反応は、同時に二酸化炭素を発生させ、室内の気体配分に影響を与えている。空気が、音響と聴取のあいだに位置する透明な媒介項（メディア）でなくなってしまうのだ。空気という媒介項の振動によって音響が知覚されるのではなく、気体変質の一部としてたまたま現象した振動が、空気と音響を媒介している。

室内を漂う、溶けた石灰岩が発する臭気とこの音響は連続しており、したがって私たちはここで嗅覚と聴覚それぞれの自立性をも疑うことになる。それでもなお「音源」を求めんと想像するならば、そのイコンとして要請されるのは発生した二酸化炭素だろう。しかし、この二酸化炭素は外でもない二億五千万年の来歴をもつものだ。退けたはずの「石灰岩の声」という比喩の享受と、それはいかほどの差異をもつというのだろう。《unearth》は音響の現前に織り込まれた諸現象を解体してみせることで、「聴取」の想像力を異なる時間のあいだで蒸発させ、音響あるいは聴覚が別なる現象あるいは知覚と互換性を持ちうるものであることを示している。溶ける石灰岩から目を離し、スピーカーに耳を近づけるとき、私たちはスピーカーと耳のあいだ、鼓膜と内耳のあいだにある空気が、室内に漂う不可視の二酸化炭素と連続していることを思い出すのだ。

これまで振り返った二作品に見られる特徴は、「聴取」という営みを、時間的な連続性を想像する聴取と、空間的な分節性を喚起させる聴覚とに分離させる点にある。それは、聴取に内在する諸知覚を明かし、この群れに聴覚を置き直すことで試みられていた。しかし、《I never lock a door of a room different from the one you are in》（2017）はこれと逆向きのアプローチで「聴取」の析出が行われている作品だ。他者の作品が実際に展示された、2枚の壁状の構造体が天井から吊られている。あいだに挟まった大きな風船は、ボンベから注入される窒素によって膨張を続けている。風船の裏側にある起爆装置は確率計算を続けており、一時間に約0.1%の確率で風船を爆破する。この数値は、会期中で風船が約51%の確率で一回破裂するよう設定されたものだ。

本作に至ってはもはや、音響が鳴ること自体が確約されていない。しかし、私たちはこの作品がどのような音響をもたらすかを容易に想像することができ、それが鳴らない限りにおいて風船を注視すべき「音源」として想定することができる。先の《unearth》における化学反応を思い起こされたい。風船の破裂に伴う振動と同時に漏れ出てくる窒素は、それ自体で知覚することのできない無臭の気体である。私たちはそこで窒素の漏出を振動として知覚することになる。この点で、《unearth》と同様に本作における音響の発生は「音源」を爆散させ見失う契機となる。つまりこの作品において聴取は、解体された聴覚体験を総合し遡行するような過去に対する想像力ではなく、未来に対する緊張した予感としてのみ析出されている。またそこで予感される音が、《scales》において現れたような「音色」でない、破裂がもたらす単音であることも注目したい。

用途なき聴覚、輪郭なき耳

黒嵜想　批評家

空気の振動を視覚表象や電気信号、あるいはデジタルデータによって記録し、これを元手にして特定の音響を再生産する技術を、私たちはふだん、当然のように「音響メディア」と呼んでしまう。だが、メディアという呼称は、その技術の利用に目的を含意させると同時に、技術が媒介する「音」と「聴取」の輪郭をも無意識に定義する。技術は、ときに目的に先立って用途なく開発され、私たちはその技術を通じて知覚現象に新たなフォルムを見出し、喚起された目的にしたがったメディアとしてその技術を利用する。視覚的な輪郭をもたず、それ自体で分析的な言語を向けるのが難しい知覚に関わる技術には、このような転倒した関係を数多くみることができる。

音響研究者のジョナサン・スターンもまた、このような問題意識で音響メディア史を大胆に描きなおす者の一人だ。彼は『聞こえくる過去 音響再生産の文化的起源』（中川克志 金子智太郎 谷口文和訳、インスクリプト、2015年）において、冒頭に触れたような技術を「音響再生産技術」と呼称し、前近代的な聴覚の時代に代わり近代的な視覚の時代が到来したとするメディア史の通説を疑い、身体観を含む近代的な精神のいくつかはそれらの技術が準備したと分析する。前近代／近代の切断を演出する聴覚／視覚の二項対立を前提にした議論を「視聴覚連祷」と呼び批判する彼は、音響再生産技術の推移に「音」という現象と「聴取」という営みの動的な捉え返しをみている。ここで重要なのは、以下の二点だ。一つ、その呼称にも現れているように彼が視聴覚連祷をキリスト教的身体観に由来したものと分析していること。二つ、これに抗するため「聴覚」という知覚に関する議論と、「聴取」という想像力に関する議論とを分離させる必要性を訴えていること。

前者はスターン自身が諸所でアピールしているように、「音声中心主義批判」を提唱した哲学者ジャック・デリダと通ずる問題意識だろう。西洋哲学の議論に見出される伝統的な「声」観、つまり特定の音声が特定の身体に帰属し、特定の人格をも保証するという身体観を彼はデリダと同様に批判し、話す主体でなく聞く主体に分析の軸をずらした。音響再生産技術への具体的な分析はここに要請される。重要なのは、後者の論点である。スターンは、聞く主体を中心にした議論が、「内的なものに到達する」想像力としての「聴取」を再生産してしまうことを警戒している。いわずもがな、ここでは音響メディアに向けられた批判的なまなざしが反転し、私たちの内的な知覚体験に向けられている。彼は、聴取あるいは耳それ自体を、諸技術の集合がすでに捉え返された「メディア」として疑っているのだ。

音響メディアを用途が見出される以前の姿に差し戻し、ありえた想像力とともに音響再生産技術の集合として開陳する。サウンドアートもまた、このような批判意識を共有した創作行為であることは疑いようもない。だがスターンが示唆した、「聴取」をそれ自体に内在した知覚の集合に差し戻し開陳するような視座となると、創作はおろか想像することすら困難だ。後景におかれた音やノイズを増幅して聞かせるだけでは「聴取」の外を聞かせるに留まり、中心化された「聴取」は再生産される。映像と音声、あるいは音源と音響が作るズレや変換を扱うだけでは視聴覚連祷批判に留まる。いずれも「聴取」それ自体の解体には至らない。しかし、サウンドアーティストの大和田俊の手がけるいくつかの作品は、その試みに届きうる数少ない例だろう。

《scales》（2012）は二二八本の超小型マイクロフォンで構成されたウニのような球状の構造体と、これに向かい合ったスピーカーで構成された作品だ。束ねられたマイクロフォンがミラーボールのように回転し、スピーカーとの相互作用によってハウリングを来す。この音色は、束ねられたマイクロフォンとスピーカーが作る距離、加えて展示空間の音響特性に影響を受けて変化する。いま、筆者は「音色」と書いたが、本作はこの断定を捉え返すものだ。この連続的な音響を作っているのは、回転するマイクロフォンの一本一本が増幅し、減衰させる数々のノイズに他ならない。

スターンは「聴覚」と「聴取」を分離させる議論の一案として、「聴覚」は反射音を受け取るものであり、反射物の材質や距離を測る、空間的な

Hearing without purpose, ears without contour

So Kurosaki Critic

We habitually call technologies that reproduce a particular sound by means of recorded visual representations, electrical signals or digital data captured from air vibration auditory media. However, the term media implies the purpose of the use of technologies. At the same time, the media also define the boundary between sound and listening that technologies mediate. Often, technologies are initially invented without any purpose. After that, we find a new contour of perception through these technologies. Then we make use of them according to newly evoked purposes. We can see this kind of inverse-relations in technologies related to perceptions that have no visible forms and are difficult to be analyzed directly by language.

Jonathan Sterne is one of those who are trying to rewrite the history of auditory media under this point of view. In his work *The Audible Past: Cultural Origins of Sound Reproduction*, he calls such technologies we discussed above sound reproduction. Against the accepted stories that modern visual culture took over from pre-modern auditory culture, he argues that sound production technologies prepared some aspects of the modern mind including the idea of the body. Using the term audiovisual litany, he criticizes the dichotomy of audible and visible that draws the dividing line between the pre-modern era and the modern era. He sees dynamic re-capturing in the evolution of sound reproduction technologies. There are two key points. The one is that the term audiovisual litany, as shown in the word itself, is analyzed in relation to the Christian idea of the body. Secondly, in order to oppose the term audiovisual litany, he advocates the need to separate the argument about perception that hearing from the argument about the imagination that listening.

The former, as Sterne indicates in many places, would be a problem shared by the philosopher Jacques Derrida, who criticised phonocentrism. As Derrida, Sterne questions the traditional view of voice which appears in western philosophical arguments that a particular voice belongs to a particular body and it ensures the personality and he shifted the analysis from the speaker to the listener. The concrete analysis of sound reproduction technologies is required here. In this essay, the latter is more important. Sterne warns listener-sided theory will reproduce listening as an imagination "that goes toward inside". Note that his critical gaze directed at auditory media is reversed and directed toward our inner perceptual experience. He suspects that listening or an ear itself as a media in which a collection of technologies has already been recomposed.

There is no doubt that Sound Arts shares these questions: putting the auditory media back into the state before its purpose was found and reveals it as a set of sound reproduction technologies with possible imagination, is also a creative act with such criticism. But in reality, it is difficult to create or even imagine such a work exactly based on the viewpoint that Sterne suggested. Amplifying background noises or minute sounds will just result in making the exterior of listening audible and centralized listening would be reproduced. Simply dealing with gaps between images and voices or sounds and sounds' sources or just converting each other is nothing more than criticism of audiovisual litany. and it will never dismantle listening. Nevertheless, some works by the sound artist Shun Owada are few examples that may answer these questions.

scales (2012) is an installation work composed of a spherical structure made up of 128 ultra-small microphones and one speaker which faces the structure. This configuration of the microphone-structure rotating like a mirrorball and the speaker provokes acoustic feedback. The tone is affected by the distance between the speaker and the structure and also the acoustic characteristics of the exhibition space. Although I used the word tone quite naturally, the word tone itself is questioned in this work. It is the noises amplified and attenuated by each microphone that constructs this continuity of the tone.

Attempting to separate hearing and listening in his arguments, Sterne describes hearing as a capability to receive reflected sound and to explore spatial surfaces by means of measuring distances from objects and determining materials (Jonathan Sterne, *The Audible Past: Cultural Origins of Sound Reproduction*, 18–19). Listening is, in contrast, a temporal imagination that captures the act itself and it is also a retrospective experience. This point can be understood in detail, for example, through this work.

Each microphone acts as sonar and picks up diffused noises in the space that circulating between the speaker and the microphones. In spite of the structure captures the noises separately, as long as it rotates as a spherical structure composed of bundled microphones, we hear the noise picked up by these sonars as a continuous sound, tone. The urchin-like structure of *scales* externalizes discrete perception and imagination: the internal structure of listening. Since this sound originates from the process of audio feedback, neither a microphone nor a speaker can be regarded as the source of the sound. Instead of the spaciousness that attached to sound, we hear the process of understanding space as sound. It is needless to say that, as in the case of tone, this continuity of space is also regarded as an assemblage of multiple distances.

In *unearth* (2014–), the dismantling of listening is done more radically. Limestone, which is formed by the deposition of dead bodies of small organisms lived in the ocean about 250 million years ago, makes a minute sound each time it melts and vaporizes due to a chemical reaction caused by citric acid dripping from the medical drip bag. The microphone captures and amplifies this sound and the sound is then fed through a speaker which is set separately. This series of works includes several different versions, but basically shares the same structure in *unearth*, the source of sound that dissolved into exhibition space in *scales* will evaporate into somewhere in-between two different times.

It is easy to move away the simplistic metaphor of limestone being treated as a recording medium, replaying the voice of marine life existed 250 million years ago. We can say that the sound we hear at this moment is not from limestone or acid themselves but from the chemical reaction between the two just when they come into contact. However, as soon as we make this kind of conclusion, we face the difficulties to imagine going back to the source of sound. This chemical reaction not only vibrates the air but also produces CO_2 gas and affects the atmospheric composition of the room. At this point, the air is no longer the transparent mediator between sound and hearing. Sound is not perceived by the vibration of air as a medium. Vibrations just mediate air and sound when they are excited by chance as the composition of the atmosphere changes.

There is a continuity between the odor emanating from the molten limestone around the room and this sound and therefore we are forced to rethink the independence of two sensations: smell and hearing. Still, if we try to imagine the source of sound then we will need CO_2 gas produced in the work as the icon. However, at the same time, we will notice that this carbon dioxide has its own history of 250 million years. If so, what on earth is the difference between this history and the metaphor of "voice of limestone" which was supposed to have been dismissed? Dismantling phenomena which are woven in sound's presence, *unearth* evaporates the imagination of listening into different times. That's how the work shows that sound or hearing are interchangeable with another phenomenon or perception. As we look away from the melting limestone and bring our ear close to the speaker, we realize that the air between the speaker and the ears, between the tympanic membrane and the inner ear, is continuous with the invisible carbon dioxide that floats in the room.

The feature of the two works we have reviewed so far is a separation of the act of listening into the listening as imagination towards temporal continuity and the hearing as an evocation of spatial segmentation. The works attempt to reveal the underlying perceptions of listening and put hearing into this assemblage of perceptions. However, *I never lock a door of a room different from the one you are in* (2017-) distills listening by the opposite approach. In the work, a wall-like structure composed of two wooden boards is hung from the ceiling, on which the works of other artists can be exhibited. The large balloon in between the two boards filled with nitrogen supplied from the gas cylinder. Behind the balloon, the detonator controlled by the microcomputer continues to calculate the probability of blowing up at a rate of approximately 0.1% per hour. This value is set to burst once during the exhibition, with a probability of about 51%.

The sound itself is no longer guaranteed here. However, we can easily imagine what sound this piece will produce, and can regard this structure as a source of sound as long as it does not make a sound. Recall the chemical reactions in the *unearth* we discussed above. The nitrogen that leaks out at exactly the same time as the balloon bursts and excites vibration is imperceptible, odorless gas. We will perceive nitrogen leakage as vibration here. In this regard, as in the case of *unearth*, the occurring of sound-event causes a source of sound to explode and to get lost. In short, in this work, the act of listening is distilled only as a tense premonition of the future. It should also be noted that the sound expected here is not a tone as in *scales* but a mere single sound caused by rupture.

This work contains a huge number of timebases, including not only the simulations of probability, which the computer executed every second, for 1000 exhibitions examined by the artist prior to the actual exhibition but also micro-scales such as viewing experiences or a macro-scale such as exhibition periods. Here, as an integration of different timebases, we are given the information "51%".In other words, the artist dare to give 1% more probability that the sound will come. But if the work makes a sound, it will relativize each of our listening as one of 51 possible patterns. Just before the balloon bursts and the listening scatter into simulations or a swarm of perceptions, we can recognize the artist or the balloon as a source of sound in the expectation of the future. This work distills conditions of listening by making viewers expect the sound which is virtually repeated by the process of calculation. It deviates from the category of sound reproduction technology.

Having looked into these three works, we can see that Owada's works distill listening as imagination (or expectation) which establishes presentness in a different form each time by relating various inherent perceptual phenomena to the past and future: as tone in *scales*, as 250 million years later, in *unearth*, and as 49% in *I never lock a door of a room different from the one you are in*. Then, listening which Owada's works dismantle is also involved in dismantling presentness itself. It also means that these works make us rethink the temporal and spatial continuity inherent in the word sound. But there are still not enough clues to make a conclusion on such a highly abstract subject.

But for the analysis so far, It would be possible to say: Technologies are sometimes developed in advance of its purpose , and through them, we find new forms in perceptual phenomena and use them as media according to the evoked purposes. Sterne suspects that listening, or the ear itself, is a media in which a collection of technologies has already been re-constituted. The discovery of technology and media is the discovery of perception and organs themselves. Therefore the work of Shun Owada is the representation of the body that reconstructs organs by questioning the use and contours of hearing.

Translation by Shun Owada
English proofreading by Yusuke Oiwa and Arata Hasegawa

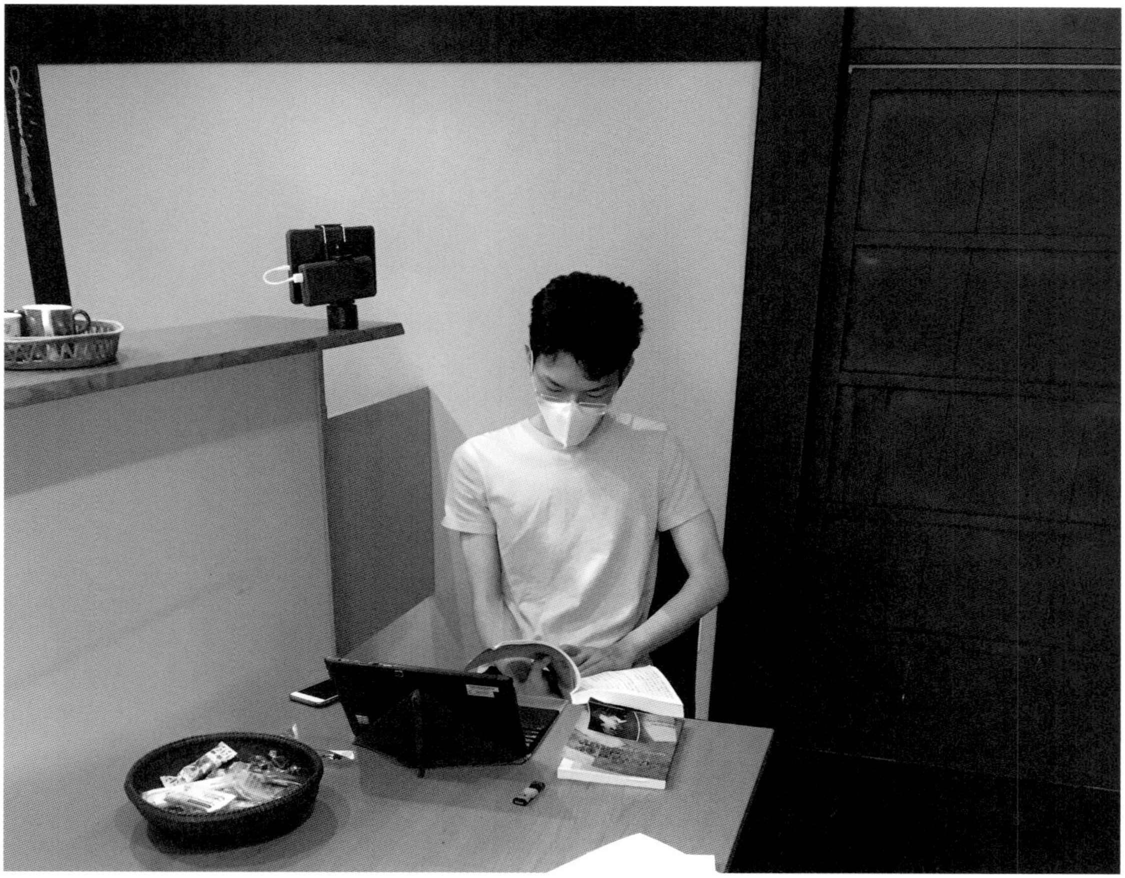

scales　2012年　撮影：冨田了平
unearth　2015年　撮影：冨田了平

I never lock a door of a room different from the one you are in　2017年　© Tokyo Arts and Space　撮影：高橋健治

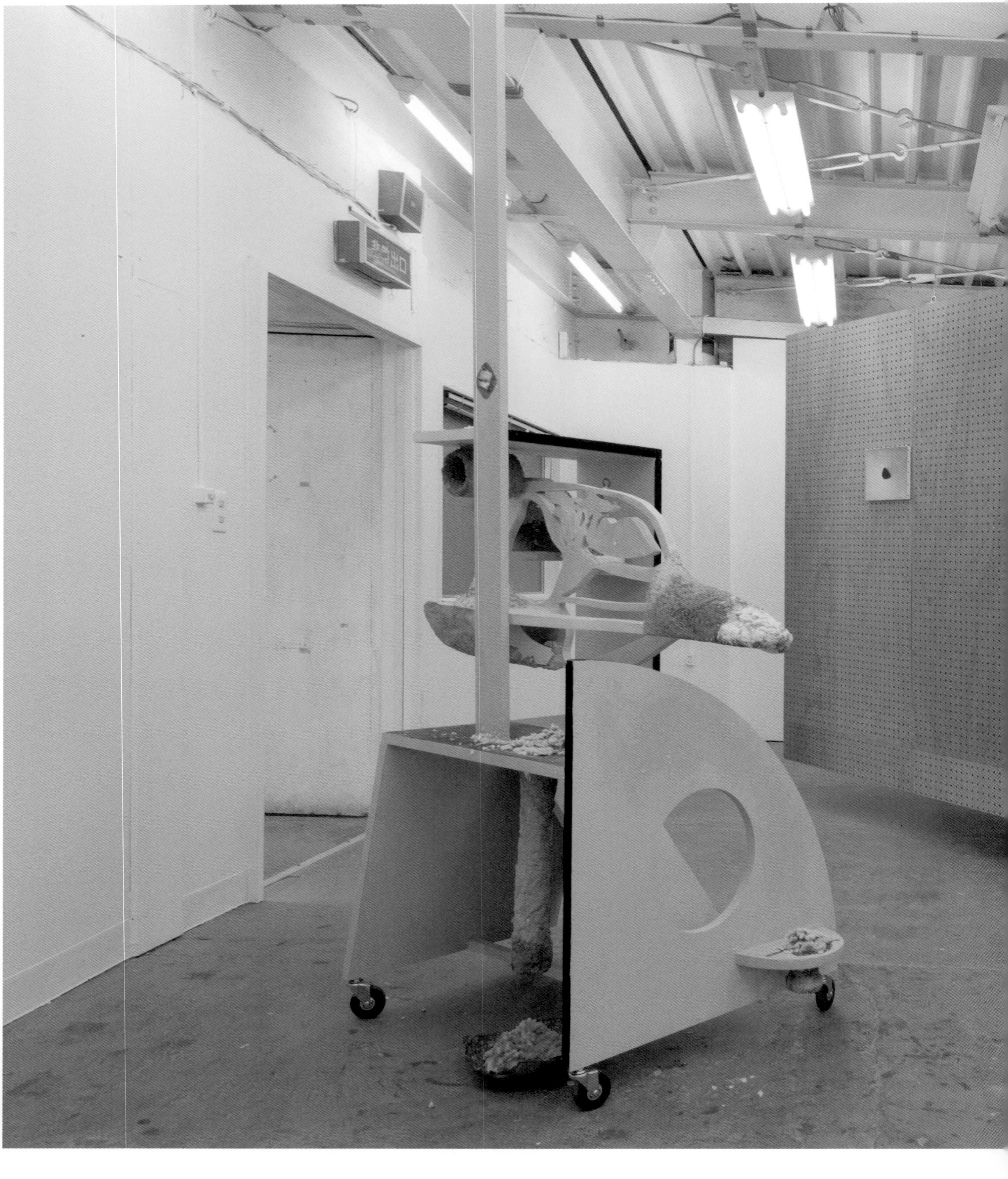

I never lock a door of a room different from the one you are in　2018年　撮影：熊谷篤史

チッソ

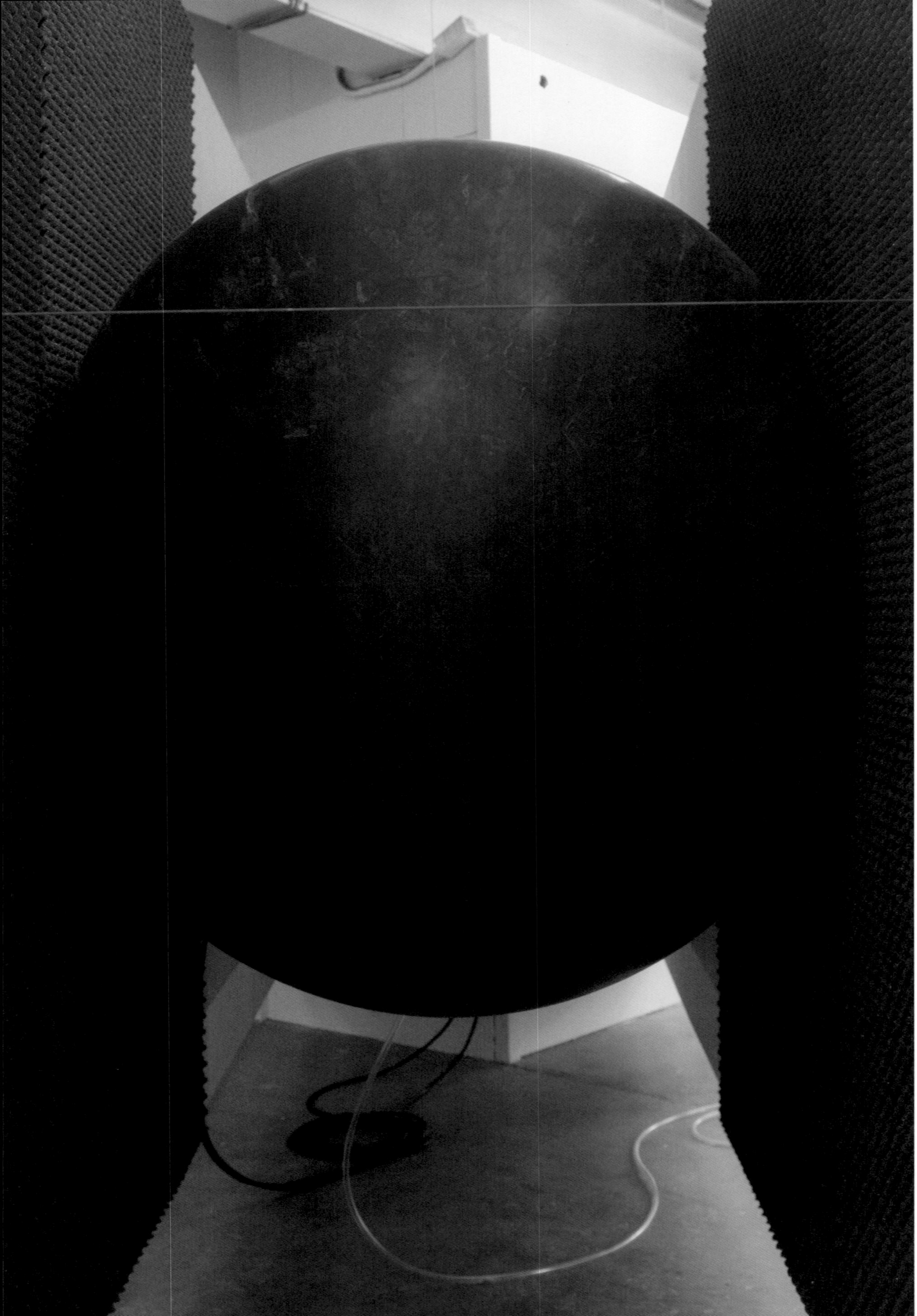

したら、女性ばかりの家では、どのような不祥事が起こったか判らなかったのである。

本来わたしの部屋は一階にあるのだが、この夜はドニャ・マリアの強いての頼みでわたしと兄は二階の応接間で寝たのであるが、夜があけるまで何回となくドアを叩く日本人が来てはわれわれの眠りを妨げていた。

ここに収録したのは水口博幸「非情のジャングル フィリピン戦線生き残り元日本兵」（2010年）の一部である。水口氏は日本に生まれ、幼少期にフィリピン南部の街ダバオへと家族で居を移している。太平洋戦争開戦にともない、フィリピンに暮らす人々は突如として敵味方に分断され戦乱の渦へと巻き込まれることになるのだが、本書は水口氏自身によるその体験の記録である。本カタログでは、主に「パン搬入作戦」と題された出来事をめぐる記述を中心に掲載している。これは、八幡亜樹の作品「jaPandesal 2013」において強く結びついており、gallery αMでの個展（2014年）の際には会場内別室にプリントしたものが掲示された。（今回の展示では本書「非情のジャングル」およびその英訳書を自由に閲覧可能としたことを付記しておく。）

抄録ではあるが、今回ご遺族の許可を得て掲載することができた。水口氏の魅力的な文体によって語られた貴重な記録を味読いただければ幸いである。

※掲載にあたり、ルビは削除し、明らかな誤植はあらためました。

ンも一時間くらいの間に全部底をついてしまった。
最初中島氏の五ペソと、わたしの二ペソの投資でダッフル・バッグ一ぱいのパンで、スタートしたパン搬入作戦は、一二月二十日の日本軍上陸の日までに、トラック一台分までのパンと四ダースのヒネブラに増え続けた。その間、収容所内で大勢の腹を空かしていた邦人を潤わせたのちに、最後は在留邦人を救出してくれた多くの日本軍の将兵達に、喜んで腹一ぱい食べてもらったので、わたしは心の底から満足していた。

戦争が始まった時点から、わたしはフィリピンの親しい友達の暖かい友情で無事に収容所に入ることができ、収容所のなかでは食料不足の極限の状態から一転、パン搬入作戦と目まぐるしく変化しながら推移していった短い十三日のあいだに、わたしは何年間かかっても吸収できないほどの、無形で有意義な経験を積むことができたと確信が湧いた。また、人の心の優しさや美しさや逞しさを肌でじかに感じとっていた。
最悪の状態に直面した場合に現れる責任感や信頼感等や、経済の原則である需要と供給とやらも身を以て体得できたことと、危険と背中合わせの冒険等々、振り返ってみれば、わたしにとっての収容所の十三日間は、若さとその柔軟性が突っ走った誠に充実した日々の連続であった。
後日判ったことであるが、この昭和一六年の一二月二十日、日本軍がダバオ在留邦人の救出に来た時に、このダバオ公立小学校では数十名の邦人が警備兵を襲撃して、その際、銃撃されて十数名が死傷した事件や、食料炊き出しの使役に行っていた数名の大阪バザーの従業員が炊き出し工場の現場で全員惨殺された事件が起こっていた。
またバンケロハンの闘鶏場に収容されていた邦人の内、数十名が警備の兵士たちに射殺された事件もあったが、一部の遠隔の収容所に送られた邦人等は別として、殆どの邦人は婦女子共々無事に救出されたのである。
婦女子専門の炊き出しにマガリアネス街に在る大力商会の味噌工場に派遣されていたミンタル女学校の生徒数名は、日本軍上陸の当日に、炊き出しの責任者の機転により、炊き出しに使用していない特大の釜の中に隠れて命が助かったというエピソードも伝わってきた。その中にはわたしの知り合いの兼島恭子さんもいたのである。

あれほど心配していた大量のパンとヒネブラが跡形もなく消えた頃に、わたしの兄が顔をみせて、
「おい、ドニャ・マリアの家に行こう。早く行ってやらないと今頃は日本人が悪い事をしてるかも知れんぞ。表を見てみろ。どこのフィリピン人の家にも解放された日本人たちが押し掛けて出鱈目をしているんだ!」
わたしは兄の言葉を聞いてドニャ・マリアの家のことが急に心配になった。そう言われて辺りを見回せば、自由になった収容所内の日本人達は徒党をくんで三々五々、街の方へと繰り出していた。唐突に収容されて、まともな食料も支給されずに、人間性を無視されつづけて過ごした収容所内の生活の反動で、どのような事態は起こるか誰も判断がつかないのである。
ダバオ市内に家を構えている日本人は別として、大多数の日本人の住まいは地方のマニラ麻のプランテーション内に在り、家族がある人々は愛する家族を捜すのに大童だろうしダバオの市外に在る家には危険ですぐには戻れないのである。
日本軍が占領しているのは、まだダバオ市内だけであり、その他の地域の治安情勢は一向に判らないのである。
わたしは寺尾ドクターとクリニックのメンバーたちに別れの挨拶をして、兄と一緒にドニャ・マリアの家に駆けつけた。クリニックから家までは歩いて約七、八分の距離である。
頑丈な鍵が掛かっている門からは入れないので草花を植えている所のフェンスを乗り越えて階段を上りドアを叩いた。
辺りはもう薄暗くなっていた。家の中は電気もついてなく真っ暗で、ひっそりとして物音一つ聞こえてこなかった。男性では地方から来ているシメオンがいるはずだが、元来女性だけが住んでいる家なので、警戒は厳重である。わたしは大声を上げた。
「ドニャ・マリア!アブレ・ポル・ファボール（開けてください!）」
最初にドアが細目に開いて、わたしの顔を確認した瞬間、
「ヒロー・ミア!（私のヒロー）・・・」
とドニャ・マリアが大きな声を迸らせて、ドアを明けて出てきた。
目に涙を溜めて、わたしの身体を大きな腕で息が詰まるくらい抱き締めてくれた。側から背が高くて肥っている四十歳のネーナがわたしの背中に手を回し、ゆっくりと撫でながら言った。
「グラシアス・ア・デウス!（神様ありがとうございました）」
電気を点けて明るくなった食堂で兄とわたしは夕食をご馳走になったあと、収容所内の出来事を、みなと一緒に時間がすぎるのも忘れるくらい熱心に語り合った。わたしが会いたがっていたシメオンがいなかったのが気に懸かった。
一人の若いフィリピンの男性が、このような過激な夜に、復讐心の塊のようになった日本人に遭うと命取りになる危険性があるのが分かっているので、わたしは心配していた。

われわれが食事をしている間にも何回となく門をこじあけて、階段を上ってきてドアを開けるのを強要する不埒な日本人のグループが後と絶たなかった。その都度、わたしと兄が応対してこの家には日本人が住んでいるのだと言って撃退した。
この夜、もし、われわれ兄弟がこの家に居なかったと

明け方から何も口に入れておらず、食べようと思えば四方八方パンに囲まれているのだが、不思議なことには食い意地がはっているわたしでも、食欲がさっぱり湧いてこなかった。

五〇㍍ほど離れている校舎から元気のよい日本軍歌が流れてきた。顔をだして覗いてみると、薄緑色のヒネブラの角瓶を回し飲みしている御機嫌なグループが目に入った。彼等は今日、日本軍が上陸するのを知っていて予め祝いの酒を用意していたかのようだった。

昼がすぎ太陽が少し傾きかけたが、まだ日本軍の姿は見えなかった。しかし機関銃の音や迫撃砲の音は段々と近ずき明瞭に聞き取れるようになっていた。もうウヤンゴレン街とクラベリア街の角の電話会社あたりまで来ているような緊迫感に包まれる。

誰かが警備兵の発砲した弾丸に当たって負傷した様子である。しかし弾丸が飛んでくるので迂闊に外に出ていくことができない。しかし勇敢な邦人が一人クリニックの裏口から飛び込んできて、寺尾ドクターに怪我の状況を説明したあと急いで担架を運びだしていった。

やがて警備の兵隊の流れ弾によって負傷したのか、血まみれになっている邦人を乗せた担架が二人の元気な若者によってクリニックまで運びこまれた。この間、警備の兵隊は誰もこの負傷者を乗せた担架に向かって発砲はしなかった。

待ち構えていた寺尾ドクターは手際よく弾丸摘出の手術を行っていた。麻酔薬が有ったかどうかは分からないが、消毒用に利用できるアルコール分の高いヒネブラはくさるほど有るのである。ともかくクリニックは正常通りに作動していたのである。

暫くすると収容所の一番北の外れのダバオ電力会社の方向から喚声が聞こえてきた。いよいよ日本軍の姿が見えたのかも知れない。収容所内の邦人は興奮して一斉に立ち上がったので、収容所警備の米比軍兵士は一層怖くなったらしく邦人に向けて、又激しく発砲し始めた。

殆どの邦人は再び座ったり背を低くしたが、中には手に手に棒切れをもって警備兵に向かっていく命知らずで血の気の多い面々がいた。おそらく彼等は開戦当日に加えられた暴行や屈辱と、それに繋がる収容所内において受けた一連の理不尽な仕打ちに、これまで蓄積された復讐心や怨念が一気に吹き出したように思えた。

われわれの目の前のゲートで警備にあたっていた二、三人の兵士達は撤退する命令をうけたのか、ゲートの鍵を開けて何時の間にか姿をくらませていた。

午後四時頃になった。収容所内の喚声と万歳の声が発電所の方からうねりのように広がり近ずいてきた。クリニックの入り口に立っていたわたしの目に最初飛び込んできたのは日の丸の旗だった。

それから、その旗と、軽機関銃を自転車のハンドルに装着してペダルを踏んでいる力強く見える日本兵士とその部隊だった。わたしも噂では聞いていたが、初めて見る日本陸軍の銀輪部隊である。一瞬私の瞳の中の日の丸が涙で滲んで霞んでみえた。

日の丸の旗を先頭にしてポンシアノ・レエス街狭しとばかりに進軍してきた銀輪部隊の先頭はクリニックの前のゲートで止まった。彼等は一様に偽装網を被っており、その偽装網には木の枝葉や雑草が付けてあり、鉄兜の下の双眸は爛々と輝き油断なく四方を睨んでいた。手にしている銃には一様に着剣してあり、夕日にきらめいていた。そのきらめきは恐ろしいばかりに闘志を漲らせているように感じた。

彼等の身長はさほど高くないが、皆、がっしりとした体躯をしてをり、これが世界最強を謳われている日本陸軍の精鋭を目の前にしていると思うと、感激が一層高まるようだった。

わたしはゲートの所まで地に足がつかないような気持ちで近寄り、ゲートを力一杯押し開けて思わず、

「ばんざい!・・」と叫んだ。

先頭にいた厳めしい髭だらけの下士官は、

「ここが日本人収容所ですね。皆さん、お元気ですか? 良かったですね!敵はいませんか?」と尋ねた。わたしは、

「もう皆逃げて、この辺には誰もいないようです」

と応えた。すると髭面の下士官は後ろを振り向き、

「おい、二、三人前方にいって偵察してこい。本隊は暫くここで、小休止することにするぞ」

と言って、二、三人の兵士が自転車で出掛けたのを見届けたのち、自転車を押して、他の兵隊を誘って収容所の中に入ってきた。長崎出身のわたしは彼等の喋る言葉の節々に九州の訛りを聞き取ることができた。

あとで知ったのだが、彼等は九州出身の坂口兵団という敵前上陸専門の戦闘部隊で、勇猛果敢をもって鳴り響き、開戦初頭に敢行された有名なダバオ、サンボアンガ、ホロ、ボルネオ等の八曳飛びの偉業を成し遂げ日本の新聞ニュースに載り、日本陸軍としては、最初に赤道をこえた兵団として戦史に勇名をのこした栄えある戦闘兵団であった。

わたしはクリニックのなかで朝から山積みになったままのパンのことを思い出して、早速パンの袋を校庭に持ち出して袋を開き、休んでいる兵隊に差し出した。彼等は早朝よりの戦闘で腹を空かしていたのか、旨いうまいと言いながら相好をくずしてパンを頬張っていた。

わたしとクリニックのメンバーは、次から次とパンの袋を表の芝生に持ち出して、無事に救出されたお礼にと、張り切ってパンの大判振る舞いをしていた。

なかには鉄砲の弾丸が入っていたパンに当たった兵隊がいて、

「何だこりゃ、餡子の代わりに鉄砲の弾丸が入っとるぞ」と言いながら平気で弾丸を吐き出したあと大きく口を開けてぱくついている兵士もいた。

クリニックの前の校庭には、一休みしている兵隊と、救出された喜びで興奮している邦人とが一緒になって沸き返り、腹が減っている者はパンを食べ、祝い酒を飲みたい者はヒネブラを飲み、さしものトラック一台分のパ

クリニックのメンバーはパパイアを皆一切れずつ貰って賞味したあと、あとは診察を受けに来た人達に少しずつで栄養になるようにと分けてやった。

歳を少しとり過ぎているドニャ・マリアは、余りにも収容所内の日本人の食料のことに肩入れ仕過ぎたので老齢の体に疲労が蓄積したのだと思うと、わたしは心の底から気の毒になっていた。

わたしはシメオンをクリニックの側に回るようにいって、ドニャ・マリアの健康のことを宜しく頼んだ後、彼に百五ペソ分の紙幣を渡した。その内から五ペソ分でヒネブラのシンコ・カンパナスを買い、残りの金額でパンをできるだけ多く買うように指示した。

シメオンは多額のペソを受け取るとき困ったような表情をみせた。百ペソ分のパンといえば、かりにパン一個が一ペソ五十センタボスに値上がりしているとしたら、八千八百個以上になり、暈も随分高くなり最早タクシーで運ぶのは無理であり、ちょっとした軽トラックが必要である。

パンの買い出しや、パン屋の選定、運搬の方法、値段の交渉等すべてはシメオンに任せた後、わたしはのんびり休もうと思った。当のシメオンは頭を傾げながら帰っていき、責任の重大さを推し量っている風情に見えた。

わたしはクリニックの裏の部屋にいってベッドで横になったが、腹を空かした人達の為とはいえ、インフレ商売の様相をしてきたパン搬入計画がはたして妥当かどうかを思案していた。

シメオンが持ち帰った百ペソが次の日、収容所に搬入されて、一万四千個のパンと一ダースのヒネブラになり、それが収容所で四百ペソになり、倍々ゲームではないが十日目、二一日目が過ぎ、二二日にはトラック半分くらいに増えた。一二月二十日、収容されてから二三日目の午前三時にはトラック一台分のパンと四ダースのヒネブラがクリニックに運び込まれていた。

トラック一台分のパンといえば唐米袋に約八十袋である。数量にしてざっと五万六千個のパンである。一個二センタボにすると千ペソ以上になるのである。五万個以上のパンならば、一万人の日本人に、一人五個平均は渡すことができる計算がなりたつのである。

これだけの量のパンをクリニックの中までは運び込むのも大変な労力を要したが、クリニックの中の部屋という部屋はパンの袋で寝る場所も無いくらいに占領されて、さすがの寺尾ドクターも悲鳴をあげて、

「水口さん、こんなに沢山パンがあるけど大丈夫捌けるの?」と心配そうな顔をしていた。わたしもパンの作戦も大分慣れてきたので、涼しい顔で、

「寺尾先生、何も心配いりませんよ。これだけあっても昼頃には全部捌けてしまうでしょう」と呑気に構えていた。

ところが事態はわたしが呑気に構えていたようには推移しなかったのである。

4　皇軍上陸

昭和一六年一二月二十日

夜がまだ明けきらない内から、港の方から微かに砲撃の音が聞こえてきた。収容所の中には一瞬の内に緊張感が張りつめていた。

誰に言われなくとも、聞こえてくる砲撃の音は、日本軍がダバオ在留邦人を救出に来てくれているのだと判っていたので収容所内の日本人の一人一人が、声を潜め、体を低くして表通りの様子をうかがっていた。

日本人は一様に胸を踊らせ、興奮しており、いつ日本兵の姿が現れるのかと大きな期待を抱いて待っていた。

こうなると、わたしが仕入れて診療所内にストックしてあるトラック一台分のパンどころの騒ぎではないのである。

収容所を警備している米比軍の兵士たちが、日本軍上陸の連絡を受けたのか、パニック状態に陥り、収容所内の日本人に銃口を向け、少しの動きがあると威嚇射撃をするので危険このうえない状態になっていた。彼等の射撃には命令に困るのではなく、恐怖に駆られて、ただ盲滅法に発砲しているように見えた。

クリニックから一番近い一般の日本人が収容されている所まで約三〇㍍の距離があるので、警備の兵士に発見されないように、明るい太陽の下でクリニックに、こっそりとパンを取りに来るのは不可能である。

警備の兵士たちは完全に血迷っているとしか考えられなかった。とにかく、われわれが身体を潜めているクリニックの中も危険で、木造の壁を突き抜けて弾丸が飛んで来るのである。身体にでも当たれば一巻の終りである。

収容所内の日本人はみな亀の子のように首を竦め、頭を隠して、地面に這いつくばらんばかりに体を低くして、どこから飛来してくるかわからぬ弾丸を警戒していた。

陽が上がり、時間が刻々と過ぎていく。どこを見渡しても待望の日本軍の兵隊の姿は見えなかったものの、遠くの方から機関銃や迫撃砲の音が微かに聞こえてきていたが、その音が徐々に高まってくるのが感じられ、期待はますます膨らんでくる。それらの高揚した音が近ずくにつれて、収容所の警備兵たちが発砲する頻度がますます激しくなっていった。

クリニックの中はパンの袋で充満しており身を潜める場所がなく、寺尾ドクターをはじめ四、五人のメンバーとわたしは、壁がタイル張りになっているトイレの中に移り、できるだけ身体を小さくして隠れていた。それでも弾丸が飛んでくるので、入れるだけのパンの袋をトイレの中に持ち込みバリケードを作った。

パン袋のバリケードなど幾ら積み重ねても役にたつ筈がないとは思ったが、何もないよりはまだ少しはましだと、窮余の一策のようだった。

時間半はかかるのである。
　診療の時間が開始されて、パンを受け渡しする作業も始まった。渡す側も準備万端整っていたので問題はなく、受け取る側も今回で三回目になり、また真剣だったので、心配するよりも受け渡しはスムーズにいき、四千個のパンは二時間あまりで完全に捌ききってしまっていた。
　わたしは奥の部屋で、パンを入れて運んできた袋等を整理したり、後片付けをしていたら中島氏が入ってきて、
「ご苦労さま、今日も旨くいったね、今日のパンの値段は二個で五センタボスだよ。街でも、もうそろそろ値上がりがはじまってる筈じゃないかな?」
　と見てきたようなことを言って、わたしの肩をぽーんと叩いた。わたしは彼に今朝のパンの値段が一個が一センタボに値上がりしたので予定どうりの数に足らなかったことを告げた。かれは、
「それくらいの値段は当たり前の事さ、俺はもう少し値上がりしてるのかと思っていたよ、では又あとから売り上げを持ってくるからね」
　と簡単に言いながら診療中の寺尾ドクターに挨拶して引き上げていった。わたしは悠々と立ち去って行く中島氏の背が高く少し痩せている後ろ姿を見ながら、彼は本当の意味のダバオ日本人の世話役だと思って感心していた。
　ちょうど昼頃になって中島氏が再びクリニックに姿を現した。彼のズボンのポケットは嵩たかく膨らんでいた。奥の部屋に行くと彼はポケットから一ペソや二ペソや五ペソの取り混ぜた紙幣を出して、
「ここに全部で百ペソあるよ。パンの売り上げ金だよ」
　と言って、こんどはシャツのポケットから五ペソ分の紙幣を出して、
「水口さん、これで、今度はシンコ・カンパナスを頼めないだろうか?」
　と切り出した。シンコ・カンパナスとはヒネブラというジン酒のブランド名である、五つの鐘が商標で、薄緑色の角張った二リットル瓶に入っている焼酎に似た白色透明でアルコール分は三五度くらいある猛烈に強い酒である。
　もし警備の将校に、ヒネブラ酒でも密かに運び込んで捕まったら大変な事態に陥るのは明白である。パンの搬入だとフィリピン政府の怠慢を日本人の金でカバーしているんだとか何とか説明はつくと思うが、酒の場合、わたしは自信がもてなかった。わたしは寺尾ドクターに相談した。
　ドクターは即座に言ってくれた。
「ヒネブラの一ダースや二ダースくらいならば問題はないでしょう、ここの日本人が脱走したり暴動を起こす訳ではないんだから。ただし酔っぱらって問題さえ起こさなければの話しだよ。できれば私だって消毒用としてクリニックに二、三本欲しいくらいだよ」
　これを聞いてわたしは肩の荷が下りたように感じた。
　パンを許可なしで収容所内に入れて掴まった場合でも、あまり問題が起こらないとしても、酒は百薬の長とはいうものの、気違い水とも言われるヒネブラを、果たして入手して収容所内に持ち込めるかどうかは、一重にシメオンの腕と度胸に掛っているのである。
　私は中島氏が立ち去るのを待って警備の兵士に連絡をとり、人の目につかない場所で、契約どおり、眼塞ぎ料の四ペソを握らせた。今朝搬入した四千個分のパンに対する礼金である、彼は喜んで、なんでも役に立つから言い付けてくれといって自分の与えられた立哨場所へと足取りも軽そうに戻っていった。
　昼過ぎに、クリニックでわたしの日課になっている収容所内での健康状態を知るための巡回を行った。途中で兄とそのグループに出会った。彼等の情報によれば、大阪バザーに食料の炊き出しに派遣されていた内の三、四人が収容所内の仲間に外部の情報を漏らしたとの理由で使役を止めさせられて収容所に戻されたとのことだった。
　その情報をリークして戻された人達のなかには、わたしがいつも野球で付き合っていた大阪バザーの野球チームの吉岡氏や井門氏が含まれていた。
　運命とは不思議なもので、このとき収容所に戻された人達は、日本軍が上陸してきた日に味噌工場内で行われた虐殺の難を逃れたのである。
　そのリークした情報というのは大したことではなく、宿舎で飼っていたペットの犬が元気だとか、オオムの羽の色艶が悪くなっているとか取るに足らない事柄のようだった。
　その欠員補充のために、同じ人数の使役が収容所で募集されて大阪バザーの味噌工場の炊き出し要員として出掛けたといっていた。
　フィリピン政府からの食料供給量は依然として増えておらず、相変わらず一日に湯呑み茶碗一杯くらいだった。これがフィリピン政府が、収容された在留邦人に対してなしうる最大の食料対策なのであろう。
　収容所のあちらこちらでは、太陽が高い間に、汚れた身体を水道の水で洗ってをり、水洗いした洗濯物がへんぽんと風に翻っていた。食料こそ充分ではないが、日本人は最低の条件下でも清潔や衛生に注意する国民性をいかんなく発揮していた。
　夕方、いつもの通りドニャ・マリアが裾まで長いドレスで姿を現すのを心待ちにしていたが、期待に反してシメオンだけが食料が入ったバスケットを提げて姿を現した。シメオンは、
「ドニャ・マリアは、あまり張り切り過ぎたので疲れがでたのか熱があり、残念だが今日は休んでもらうことにしたよ。彼女は日本人の皆さんに宜しくと言っていたよ」
　差し入れて貰った食べ物は全部果物で、よく熟れた大きなパパイヤが三個と黄色く芳香を放っているマンゴーが一ダースばかりと、ラカタンとよばれるバナナが三房入っていた。

内側にいて腕をこまねくばかりで何も出来ないのである。わたしは四〇ペソ分の紙幣をシメオンに渡して指示を与えたあとは彼の能力を信じきることに賭けた。

このパン搬入作戦の一回目も二回目の成功もシメオンの存在なしでは不可能だったのだから、わたしは大船に乗ったような気持ちになることに決めた。

収容所の食糧事情も僅かではあるが向上しているようだった。医療品もちょっぴりではあるが供給されたし、収容所のなかでも、何も悲観的なニュースばかりではないようである。明日は一応の予定として五〇〇〇個のパンも運び込まれるのである。

わたしは中島氏の所に行って明日の作戦を打ち合わせた。五〇〇〇個のパンといえば相当嵩高くなるので、くれぐれも目立たないように行動するように頼んだ。中島氏のグループの人達はパンを食べているせいか元気が良いように見えた。判断力も的確で、これでは心配なく計画が続行していけると、わたしはますます確信を深めた。

熟睡ができたせいかこの朝は二時半頃に目が覚めた。不寝番の連中が気持ち良さそうに鼾をかいていた。疲れている彼等を起こす必要もないので、わたしは裏口から暗い地面に下り立った。夜はあくまでも暗く表通りの街灯の明りもここまでは届いていなかった。どこかで寝ぼけたような雄鶏の声が聞こえる。温度が冷え込んでいるのでセーターが欲しいくらいである。

時間が刻々と経つがシメオンが合図に使う懐中電灯の明りがまだ見えない。三時頃になって、やっとボニファシオ街の辺りで自動車のエンジンの音がかすかに聞こえてきた。わたしは早速寝入っているクリニックのメンバーを起こしてパンの袋の運搬にそなえた。

しばらくして椰子林の間を抜けてくる何人かの足音が暗い中に聞こえてきた。淡い光の懐中電灯が点滅してシメオンの白い歯が覗いている。彼の他にまだ三、四人が暗闇のなかに潜んでいるのが感じられた。

収容所の第八日目が始まり、パン搬入作戦の三日目の幕が開いたのである。

シメオンは物陰から担いできたパンの袋をフェンスの側に置き、彼の仲間も一様に担いできたパンの袋をそれぞれ、その側に並べて置くと、シメオンだけ後に残して、休む間もなくボニファシオ街のほうに引き返していった、まだ車の中に残っているパン入りの袋を取りに戻ったのである。

後に残ったシメオンは並んでいる四個のパンの袋を一個ずつフェンスの破れ目より押し込み始めた。フェンスのこちら側ではクリニックのメンバーたちが袋を受け取るやいなや大急ぎで奥の部屋に運び上げていた。七、八分程して先程去っていった四人の連中がパンを一袋ずつ担いで戻ってきた、全部で八袋である。

シメオンの助手達はパンの搬入が終わった後、シメオンの肩を叩いて暗闇の椰子林の彼方に去っていった。シメオンもなかなか頼り甲斐のある友人をもっているようである。

パンの搬入がすべて完了したあとは再び闇と静寂があたりを支配している。フェンスに身を寄せたシメオンは今朝のパンの数は四〇〇〇個だといった。それ以上はパンの価格が一個一センタボに値上がりしたので買えなかった事を告げた。

二台分のタクシーの代金はパン代を値切ったので充当して、パンを運ぶのを手伝った若い衆はかれの友人だから無報酬で良いと言った。

それとダバオ市内の人達が徐々に疎開しはじめていると知らせてくれた、食料の買い占めが始まっているので、明日買うときにはパン一個一センタボでは無理だろうとも言っていた。

パン屋も、これ以上パンの数が殖えるようだったら現在の一軒だけでは到底我々の必要量を供給できないだろうとも言っていた。ダバオ市内の食料の動きも段々と戦争の影響を受け始めているようだった。

わたしはシメオンに、今後彼に預ける金の一部は必ず緊急用に確保して置くようにと助言した。ダバオ市内の経済状況が何時どの様に変化を起こすか予測がつかなかったからである。

彼は打ち合わせが終わったあと、夕方また来ると言って椰子林の暗い闇に消えていった、別れる前に、わたしはシメオンに心から感謝をして、ドニャ・マリアにくれぐれも健康に留意するようにとの言葉を託した。

夜が開けるまでに一寝入りする時間があったが、わたしはパンを手渡す手配を始めた。一口に四千個のパンだと言っても、すこぶる嵩高いのである。数も量もうんざりするくらい有るので、よほど段取り良く捌かないと問題が起きると考えた。わたしは床に広いアンペラを一枚敷いて、その上にパンを袋より出して並べはじめた。

一山五十個のパンの山を三〇山作ったら、奥の部屋は袋入りのパンも交えて足の踏み場もないようになっていた。これで千五百個分である、後はパンが捌ける度毎に五十個の山を作ればよいのである。このような作業はよほど敏速にやらないと数を間違ったりパンを踏みつぶす公算が大である。

一寝入りする時間がなくなって、わたしはクリニックに備えてあるコーヒーにパンを浸して食べたあと、診察の時間がくるのを手ぐすね引いて待っていた。

クリニックの建物から次の建物までの間隔は約五〇㍍である。その間を診察を受ける人達とパンをうけとりに来る人達とで交互に二列にならんでいる。これくらいの人数だと警備の指揮所から見ても不自然には見えない。先頭には中島氏の痩せているが背が高くて落ち着いた姿がみえている。

パン運搬役の人たちは家庭科の建物の床下に潜んでいて、診察を受けにいく人の列が少なくなったら、すかさずその間隙をうめる手筈ができていた。四千個のパンを五十個ずつ運んだとしても八十回運ばないと完了しない計算である。一分間に五十個捌いたとしても大方一

目塞ぎ料を手渡した。

　夜が明けてクリニックの診療開始の時間前に、昨日とは違って、パン搬入作戦に携わっていない大勢の行列ができていた。食べ物がなく体調を損なっている患者が随分と増えているのである。

　食糧不足による栄養失調に加えて、仮眠設備が完全に欠落している収容所では伝染病が発生しないのが奇跡のようだった。クリニックの前に診療を受ける患者が数を増していたが、寺尾ドクターの手元にはもう手当てを施す医療の材料や薬品すら欠乏していたのである。

　パン作戦のメンバーは昨日と同様、周囲に疑われないように巧みに裏の部屋に入り込んで、裏口より身を潜めるようにして次々とパンの運搬を続行していた。第一日の時とは違い、パンを渡すほうも受け取る側も要領をのみこんだらしく、大きな三枚の米袋に納まっていたパンは一時間の後には処分が完了していた。

　あまりに大勢の人数がクリニックの前に並んでいるので不審に思ったのか、警備指揮所から責任者らしき将校がクリニックに調査するために出向いて来た。わたしはパン作戦も一段階ついた後なので何処を調べられても、パン搬入作戦の証拠など何一つ残っておらず恐れることは更々なかった。

　わたしは、涼しい顔をして本来の仕事である寺尾ドクターの通訳に専念することができた。寺尾ドクターは収容所の責任者に向かって、収容所内の食料不足による病人増加と伝染病発生の危機を強調していた。フィリピン政府が、ここに収容されている日本人に対して、医療器材を供給せずに、これ以上衛生状態を悪化させるとフィリピン政府の怠慢になり、後日これが明るみにでると由々しき国際問題にまで発展すると意見を述べていた。

　収容所の責任者であったのか、この将校が上司に進言したのか知れないが、午後になってから軽トラックに積まれた若干量のアスピリンや、下痢止めの薬や赤チンキや消毒液や包帯の類いが運び込まれてきた。

　これで寺尾ドクターの心痛の一部が軽くなるのではなかろうかと、こちらまで心が軽くなったような気がした。

　薬品類が運び込まれた後に中島氏がクリニックに姿を現した。表の診察している場所では都合が悪いので、奥の部屋に通して椅子を勧め、この度はどの様な楽しい情報が聞けるかとわたしは耳をすませた。

　開口一番、中島氏は、

「パンの値段が一個二センタボスに上がったよ！、どうする？」

　と言ってポケットからおもむろに四〇ペソ分の紙幣を取り出してテーブルの上に並べた。二日目にして五センタボスで七個だったパンが三倍近くまで値上がりしているのである。

　どうするも、こうするもなく、もう聖人君子のような綺麗事を言っている場合ではないようで、中島氏の説明を待つまでもなく、あくまでも収容所内の物価は需要と供給の法則に従って急速に推移しているのである。

　わたしも頭を切り替えることにして、今後はいかにして、より多くの人達に大量のパンを安全に供給できるかに専念することにした。

　量的にも、支那人のベーカリーが焼くパンの数にも制限がある筈である。わたしはこの辺りでシメオンに、従来のベーカリー以外のパン屋ともパン買入の交渉を開始して、爆発的に増加する傾向にあるパンの供給元を確保すべき手を打つように指示することを考えていた。

　わたしは中島氏に、六〇〇個のパンの資金の出所を詳しく説明した。彼はドニャ・マリアに心から感謝の言葉を伝えてくれるように頼んだあとで、診療中の寺尾ドクターと少し話し込んでいた。

　単純計算をしてみたらドニャ・マリアがくれた六〇〇個のパンは一二ペソに換わり、わたしの最初の二ペソはこの時点で一二ペソ七六センタボスになっているのである。わたしの二ペソの金が僅か三日間で二か月分の月給以上の金額に増えているのである、信じがたき事態が起こっていた。

　夕刻、まだ陽が高いころにドニャ・マリアが昨日のように颯爽として、食料入りの籠を提げたシメオンを従えてポンシアノ・レエス街に登場してきた。

　昨日と違ったのは、収容所の方々で彼女の姿をみた日本人の間から一斉に拍手が沸き起こったことである。ささやかな彼女のパンに託した心意気が意気消沈していた収容所内の日本人の心の琴線に触れたのであろう。

　楽しそうに手を振って応えているドニャ・マリアの顔は千両役者のように輝き、老いを感じさせないくらい嬉しさと誇りで高揚しているように見えた。

　ドニャ・マリアは普段どおりに差し入れの食料をわたしに渡してくれた後、収容所内の日本人の大勢の拍手に送られて、手を振りながら黒の細身のパラソルを片手に颯爽と帰っていった。彼女は老未亡人であるにも拘らず一日で収容所内で腹を空かしている日本人のアイドルになったのである。

　シメオンをクリニックの側に呼んで、わたしは今後厳しくなるであろうパンの仕入れの方法について詳しく打ち合わせをした。パンの仕入の値段にしても最初と同じとは到底不可能だと予想したのである。

　中国本土で何度かの戦争に揉まれ苦しんだ経験がある支那人が、これから起こり得る食料不足や物資の欠乏等を予測しないはずがなく、パンの原料である小麦粉等は真っ先に値上がりの対象になったとしても一向に不思議はないのである。

　わたしはシメオンに今後のパンの購入と搬入の方法に関して自由な選択権を与えた、九袋ものパンを運搬するにしても、もうメイドの協力くらいではとても追い付かないのである。タクシイ二台調達しても無理かもしれないと考えていた。

　どうしてもシメオンを頼る以外に方法がないのである。どちみち、われわれ日本人は収容所の有刺鉄線の

と囁くような声が彼女の口から聞こえた、彼女の双眸には涙が溢れており、緑色の瞳には憐憫の情と、激励の意思がはっきりと込められていた。

一瞬わたしは、はたして、この真摯で人間味溢れるドニャ・マリアに信頼されるだけの振る舞いを過去四年間ちかく、行っていたのかどうか判断に苦しんだ。過ぎ去ったことはさて置き、今後は身命を尽くして彼女や彼女の家族のために役に立とうと改めて発心したのである。

スペイン時代の雰囲気をまとったドニャ・マリアを日本総領事館の付近まで送っていった後、シメオンは再び戻ってきてクリニックの脇の路地に姿を見せた。

わたしはシメオンに一〇ペソ分の紙幣とダッフルバッグを渡し、翌朝のパン搬入の計画を細かく打ち合わせた。この度はパンを入れる袋が増えるのでシメオンが独りで運ぶわけにはいかないので、当然誰かの協力が必要になってくる筈である。その件についてシメオンはいとも簡単に、ドニャ・マリアの家で働いている二人のムチャチャ（メイド）たちに頼めるからと引き受けてくれた。

シメオンはまた、ドニャ・マリアの家から女学校に通っていたドリーとネニタの二人のティーンエイジャーの女学生は、両親が来て田舎に連れて帰ったと言っていた。ダバオの市内では、もっぱら近い内に日本軍が上陸すると言う情報が流れており、そろそろフィリピン人たちの疎開が始まっている様子だった。

明朝は今朝のように早くからパン搬入作戦が再開されるので、少しでも睡眠をとろうと考え、わたしは早くから床についたが、いろいろな事が思い出されてなかなか寝付かれなかった。

わたしは、このようにクリニックのベッドの上で長々と体を横たえているが、収容所内の他の日本人でも、教室の中に収容されている人たちは板のフロアリングの上で横になれるが、毛布も寝具もなく、スタンドや床下の土の上に寝ている人達にとっての夜の到来は悲惨なものに違いなかった。熱帯地方とはいえダバオは明け方近くになれば気温が二〇度を切るのである。収容所内の全ての在留邦人の健康状態が急速に衰えていった。

肩口を叩かれて気がつくと、わたしは何時の間にか熟睡していたらしくて、そろそろパンが運び込まれる時間が迫っていた。クリニックのメンバーが交替で寝ずの番をして、わたしを起こしてくれたのである。

収容されてから七日目で、パン搬入作戦の第二日目である。

眠い眼をしばたたいてクリニックの裏口より降りていって床下の薄明りの中で、シメオンがパンを運んで来るのを胸をわくわくさせながら待った。

程なくして昨日の朝と同じように、淡い懐中電灯の明りが椰子林の間で点滅したかと思う間もなく、有刺鉄線のフェンスの側でシメオンの押し殺したような声が聞こえてきた。わたしが返事をすると、すかさず暗闇のなかに引き返し、ダッフルバッグ一袋と米袋二袋分のパンを運んできた。

シメオンが声を低くして告げたのは、三つの袋に入っているパンは合計二〇〇〇個で、六〇〇個はドニャ・マリアからの差し入れだと分かった。彼女はシメオンが二人のメイドにパンの運搬するための協力を頼むときにパン搬入の計画を聞きつけ、収容所内の日本人のためにパン六〇〇個分の金子を出してくれたとのことだった。

シメオンが大きなダッフルバッグを担ぎ、二人のメイド達は家にあったゴムの車輪が一つ前方についている手押し一輪車にパンの袋を二つ載せてボニファシオ街を抜けて椰子林を通って運んできたのである。彼女等は役目がすむと、わたしの手を堅く握って、ビサヤ語で、

「ヒーローさん、頑張って・・」

と激励してくれた後、すぐに車を押して闇の中へ溶け込んでいった。

シメオンは午後の再会を約して立ち去る前に、今回は員数外のパンが五〇個含まれていると告げた。彼もまた自分の金を出して、腹を空かしている日本人たちを応援しているようであった。

三袋の焼きたてのほやほやのパンは、早速待ち構えていたクリニックのメンバーの手で迅速に裏口から裏の部屋に運び上げられた。わたしは思いがけなく数が増えたパンの袋を見て嬉しくてたまらなかった。クリニックのメンバーもわが事のように喜び、まだ湯気があがっているような、あつあつのパンを旨そうに頬張っていた。

パン搬入作戦は最初にわたしが心配していたように困難ではなく、むしろ呆気ないくらいの簡単さであったが、これにはひとえに外部で活躍してくれているシメオンとの連携プレーが功を奏しているのである。

クリニックの裏のドアを、こっそりとノックする音が聞こえてきた。開けてみるとパン作戦の首謀者である中島氏からの連絡員だった。彼は暗闇のなかを生け垣の間を縫って来たのである、まかり間違えば警備兵に射殺されかねない危険な役である。

彼は奥の部屋に運び込んだばかりのパンの袋をみて眼を輝かし、両手で袋に触れてみて焼きたてパンの暖かさを慈しむようかのように撫で回していた。わたしは彼にも暖かいパンを差出たあと中島氏よりの連絡事項を聞くことにした。

聞けば、先日パンが密かに搬入されたニュースが収容所のあちらこちらに流れたらしく、収容所内でも一番遠く離れているパルマヒル校舎に収容されているカリナン地方の代表が訪ねてきて、少しのパンでも良いから分けてくれるようにと、金を持って相談に来ており、断るのに困っているとのことだった。

わたしは予定外のドニャ・マリアのパンも入っていることだし、連絡員に四〇個の暖かいパンを持たせて、一応六〇〇個のパンは新規参入のグループの人達に分けて上げるようにしたらどうかと、中島氏に伝言を頼んだ。

決死の連絡員は暖かい四十個入りのパンの袋を提げて、再び闇に閉ざされている生け垣を抜けて戻っていった。

わたしは警備の兵士に連絡して契約どおりの一ペソの

て植え込みの間を抜けて消えていった。
　彼の顔には押さえても押さえ切れない笑みがこぼれていた。
　次からは、最初のパターンの繰り返しで、表から見える患者の列は最小限に止め、並ぶ人数が減れば適当に追加され、クリニックの裏の部屋にあったパンの数は一時間内に捌けていた。最後に中島氏は児島ドクターとわたしに丁寧に頭をさげて立ち去っていった。
　パン搬入作戦の第一日目は大成功であった。これで何百人かの飢えが少しでも満たされると思うと、何だか少しは善いことをしたかのように気持ちで浮きうきして、わたしは落ち着かなかった。
　昼頃になって中島氏がクリニックに顔を出して、収容所内のパンを手にした時の皆の喜びの様子を知らせにきたのである。
　彼はさらに、翌朝はパンの買い入れる数を一四〇〇個に増やして貰えないかと相談に来ており、彼は二ペソの紙幣を五枚と五〇センタボスの銀貨二枚をポケットよりとり出して私の前に並べた。合計一一ペソである。
　彼はパン一個を一・五センタボスで売ったといっていた、そうでもしないと一センタボスでも競争が激しくて喧嘩になりそうな雰囲気になり、仕方なしに一・五センタボスに落ち着いたとの話しだった。
　わたしはその話しに驚いた。パンの値段が一夜の内に倍以上にも値上がりしたのである、あまり褒められた話しではないが、しかしこの金で、明日は今日の倍の人達の飢えが凌げるのであれば、それも致し方ないと思われた。
　わたしは中島氏より一〇ペソ分の紙幣と警備の兵士たちへのお礼としての五〇センタボス銀貨を二枚を受取り、夕方差し入れに来るはずのドニャ・マリアとシメオンが来るのをまった。
　よく考えてみると、わたしの昨日用立てた二ペソの金は現在四ペソ二〇センタボに増えており、わたしの金だけで五八八個のパンが供給できる計算が成り立つのである。まして一〇ペソでは一四〇〇個のパンが買えるのである。
　わたしは寺尾ドクターから申しつかった日課である収容所内の衛生と健康に関する情報収集のための収容所めぐりをはじめた。
　パンデサルの何個かにありつくことが出来たグループの所を通った時には、わたしは凱旋将軍を迎えるような熱狂的な渦にとりまかれた。わたしにとっては、若さがなせる冒険心と、ささやかな連帯意識とで踏み切ったパン搬入作戦は、思いもしなかった多くの人々に大きな希望を与えているのが分かり、わたしはさらに頑張ろうと決意を新たにした。
　我々は十二月八日に収容されてより以降、外界からの情報とは完全にシャットアウトされている状態であった。とくに家族の人々と別れ別れになっている人々の心配と心痛は計り知れないように思われた。
　食料炊き出しのためにレガスピー街に在る大阪バザーの味噌工場に出向いている人たちからの情報によれば、ダバオの市内の治安は概ね良好のようであった。彼等はフィリピン軍の兵士の監視の下で食料の炊き出しに励んでおり、監視の目を掠めては、飯の間や底に小さな通信文を隠して送り届けては収容所内で腹を空かしている仲間を激励していたのであった。
　炊き出しの材料のほとんどが大阪バザーの味噌醤油工場が準備していた大量の米であり麦であり大豆であった。フィリピン政府は申し訳程度に少量ずつの米の追加を行っているに過ぎなかった。
　情報はさらに、ボルトン街に在る日本人小学校の婦女子収容所からはミンタル女学校の女生徒が数名、マガリアネス街に在る大力商会の味噌製造工場に派遣されて婦女子収容所のための炊き出しを行っている状態が知らされた。
　レガスピー街に在る大阪バザーの味噌工場の敷地と、マガリアネス街に在る大力味噌工場の敷地は背中合わせである。案外その辺りから婦女子収容所に関する情報が得られたのかも知れない。
　またボルトン街の婦女子収容所に収容しきれなかった多くの女性たちはクラベリア街の延長のリブロン地域近くに在る支那人小学校に収容されていることも判明した。
　ただ心配なのは、婦女子収容所におけるフィリピン人の警備兵による暴行、レープのデマ情報が執拗に広がっており、男子収容所内の雰囲気が思いの外刺々しくなっていった事である。
　大阪バザー味噌工場派遣の炊き出し使役の活躍によって、収容所の食糧事情は大幅に改善されており、最初は一日の配給量がテーブルスプーン一杯だったのが現在は湯呑み茶碗一杯くらいに増えていたのである。
　欲を言えばきりがないが、このような最悪の状態がこの先、永くつづくとは到底考えられず、近い内に必ず日本軍が救出に来てくれることを唯一の心の支えとして、収容所内の在留邦人の一人一人が苦しくて飢餓に近い状態を歯を食いしばって辛抱していた。
　夕方になって太陽がまだ沈まないうちに、プラチナブロンドのような白髪を頭上に束ね黒い細身のパラソルを差し、靴まで隠れるような黒づくめの衣装のドニャ・マリアが背筋を延ばし、広い道路に颯爽と姿を現した。使用人のシメオンが神妙そうな顔をして食料が入っている大きな籠を提げて後から従っていた。
　それは、さながらスペイン植民地時代の栄光をそのまま再現したような一幅の絵のようであった。
　閉ざされている門の所でドニャ・マリアは警備に当たっている兵士に若干の食料を渡した後、わたしに大きな籠一杯の食べ物を差し入れしてくれた。
　良くよく見ると彼女の顔には皺が少し増えたように見うけられた。わたしの眼をじっと見つめながら彼女は、針金のフェンスの間から手を差し延ばしてわたしの手をかたく握りしめ、
「バイヤ・コン・ジオス（神のお加護が有りますように）」

て、一言も喋らなかった人達が、ただパンが明朝食えるという希望だけで、一変して饒舌になり顔色までが明るくなっていた。

空腹で苦しんでいる人間にとっては僅かな食べ物が、このように喜怒哀楽を如実に映し出すという事実を生まれて初めて目の当たりに経験したわたしは、殊の外印象深く感じて、この簡単に考えていたパン搬入の計画は、この様に多くの人達の生きゆくための希望だと感じられ、何としてでも成功させたいものだと真剣に考えていた。

わたしは寺尾ドクターに、このパン搬入計画を打ち明けた。わたしの考えでは、このクリニック内の奥の一部屋を、搬入したパンの格納と、その部屋の裏側の窓を受け渡しに利用しようと計画していたので、クリニックの責任者であるドクターの協力なしにはこの計画の実行は不可能なのであった。

寺尾ドクターは、わたしの計画に双手を挙げて賛成してくれて、全面的な受入れの態勢は整った。収容所の日本人の健康状態の全般に亘っての責任を任されていた寺尾ドクターは、医師の立場として、食料が全然といっていいくらい支給されない収容所生活は、身を切られるよりも苦痛であったと推察された。

パン搬入作戦に直接携わっていたわれわれと、ただ一個のパンに有りつこうと切ない希望を抱いて待っていた人々にとっては、この夜ほど時間が長く感じられたことは無かった事であろう。

日本人が収容されてから六日目の午前三時頃になった。

表通りのポンシアノ・レーエス街には薄暗い街灯が侘しくともっており、人、一人として通っていなかった。クリニックの側の小道の辺りは真っ暗である、暗闇のなかの椰子林で懐中電灯が点滅して黒い人影が体を低くして近ずいてきた。暗闇でシメオンの白い歯が見える。

シメオンは、わたしの姿を認めると、物陰からはち切れんばかりに膨らんだダッフルバッグを担いできて、大きく綻びている針金のフェンスのあいだから素早く押し込んでくれた。五ペソ分のパンデサル七〇〇個が入っているのである。

シメオンは、持ってきたダッフルバッグにパンが一〇個余分に入っていると言って、夕方また来ることを約したが早いか、脱兎のごとく暗闇の中に姿を消していった。

彼は広い通りを利用して見回りの者に見付かるかも知れない愚を避けて、暗い椰子林のなかを縫ってパンを届けてくれたのである。

クリニックの仲間は、協力してパンを裏口より運び入れて、ほっと一息つくことができた。あとは警備の兵士へのコミッションの受け渡しと、夜が明けてからパンを処分すればよいのである。パンの受け渡しと販売と、資金の回収の役割は分担がきまっているので、われわれは朝までひと寝入りできるのである。

作戦で一番心配していたパンの購入と搬入の部分が簡単にクリアできたので、わたしは上機嫌であった。わたしはダッフルバッグの中から一〇個のパンを取り出してクリニックのメンバーのために脇に除けた。クリニックの人達の胃袋は、昼間にもらった差し入れの食料によって少しは潤っていたので、沢山のパンの割り当ては必要でなかった。

買収した警備の兵士が、われわれ収容されている日本人に協力してくれる役割はここまでである。パンの搬入までは目を瞑るが、夜間収容所内の日本人の行動はあくまでも制限されているのである。ただ用便のみの最小限の動きは認められているが、その他の不審な動きには発砲するようにとの命令を受けているのであった。

わたしはクリニックの階段に腰をおろして警備の兵士のほうをうかがった。彼はわたしの姿を見てすぐに近寄ってきて、

「おい、うまくいったか？・・・」

わたしは親指と人差し指とで、輪を作り片目でウインクして、五〇センタボスの銀貨一枚とパンデサル二個を差し出して、

「また明日頼むよ」と釘をさした。

兵士はにこにこして、

「ノープロブレム（心配するな）、任しとけ！」と胸を叩いて戻っていった。彼にとっては五〇センタボスの銀貨一枚よりも、腹を空かせている収容所内の日本人の役にたつのが嬉しかったように思えた。彼も人の子であり、相手が日本人であろうとも空腹で苦しんでいる人達を見過ごせないのであったろう。

パン搬入作戦に大なり小なり関わりがある人たちにとって待兼ねていた朝がようやく明けた。パン作戦の後半戦開始である。買収してある兵士たちのことは心配ないが、収容所のメイン・ゲートの入り口にある警備隊指揮所の責任者に見付かると困るので、ことは隠密に運ぶ必要があった。

通常の日にはせいぜい一〇人か一五人の治療を受ける人達が並ぶクリニックの入り口から、延々と五、六十人が列を作っているではないか、列の先頭には中島氏が真面目くさった顔をして立っていた。これでは嫌でも警備指揮所から丸見えになり今後の計画が実行できなくなる懸念が生じていた。

わたしは中島氏に頼んで並ぶ人数を減らしてもらい、時間差を設けてパンの受領にくるようにした。中島氏の回転の早い通達で、クリニックの前で待つ人の列は早速縮小されて普通どうりの人数に戻っていた。

午前七時半のクリニック受付開始とともに、中島氏は階段を落ち着いて上がってきた。診療は一応形式だけにして、すぐに裏の部屋に入り、紙と鉛筆を持ってパンの配給係りに早変わりしていた。

二番目の患者に扮した男性は病人らしくゆっくりと検診をうけ、パンを受け取った後ゆっくりと退出していった。三番目の若い男性は検診を受けるのも、もどかしそうに終わるとすぐに後の部屋に行き、中島氏から五〇個のパンを分けてもらい、別に持ってきていた衣類に包んで意気揚々と裏の階段より下り、身体を低くし

二、三日はひもじい思いをせずにすむわけである。

次の日、わたしが日課である収容所巡りをしていたら、途中で顔馴染みである中島氏に呼び止められた、彼は、ダバオの日本人の間では親日家で有名な弁護士のエンドリガ氏の事務所に出入りしている四十四、五歳で、人脈の広さと世話好きなことでは定評のある人物である。

中島氏はわたしに、収容所の周辺に住んでいる、わたしのフィリピンの知人に頼んで、どんな食料でもよいが、出来たらパンをできるだけ大量に入手してほしいと言って、一ペソ紙幣を三枚わたしの手に握らせた。勿論、腹が空いて弱っている収容所内の日本人たちに食べさせるためである。

わたしが苦学生として貰っていた月給が五ペソである、三ペソといえば結構大金で、五センタボスで七個の拳大のパン・デ・サル（塩味がついたパン）が買えたのである。

三ペソ分のパンだと四百二十個買える計算になる、嵩にすれば、わたしがもっているダッフル・バッグに約七、八分目になる量である。わたしは大事に隠し持っていた四枚の五十センタボスの銀貨を足して五ペソ分のパンを買うことに決めた。

わたしは、いかにして収容所にパンを運び込むかの計画を真剣に考えた。それには、どうしても収容所を警備している極東米比軍の兵士の協力が不可欠であった。わたしが着ているハイスクールのユニホームは警備の兵士たちが着ているのと同じか、それよりも上質の将校用である。わたしが彼等のなかに紛れ込んで一緒に歩いても、収容所正面にある警備隊の事務所からは、収容所内の日本人とは見えないとの確信があった。

マークしていた兵士が診療所の側を通るのを待ち受けて、一緒に連れ添って歩きながら用心深く彼の買収にとりかかった。なにしろ多くの腹を空かしている同胞の期待が掛かっているのである、失敗は許されないと思った。

収容所に搬入するパンの価格の一割りを、搬入後に兵士に渡し、仮にパン搬入計画が発覚した場合でも、彼は知らなかったと弁解する条件で交渉が纏まった。

この計画が成功すれば、兵士たちの懐には一回のパン搬入に目をつぶる事によって五〇センタボスの臨時収入が入るのである。

わたしは夕方に来る予定になっているドニャ・マリアが待ちどうしかった。建て前は一応彼女が差し入れてくれる食料であるが、本音は彼女と一緒に食べ物を運んでくる筈の使用人のシメオンに会うことであった。

わたしとしては老齢のドニャ・マリアにこのような危険を伴う仕事を依頼するわけにはいかず、若くて機転が利くシメオンに、このパンの買入と搬入の片棒を担いでもらおうと計画していたのだった。

3　パン搬入作戦

パンを運び込む場所は、診療所の側の有刺鉄線が綻びている箇所を利用すると決めていた。時間は辺りがまだ暗い午前三時頃を予定していた。

通常、支那人（中国人）のベーカリイーは夕方に入ってからパン焼き窯に火を入れるので、予約して手金さえ積んでおけば、午前二時頃には、焼きたてのパンデサルが、必要な量だけ手に入るのである。フィリピンの通貨は一〇〇センタボスで一ペソである。

わたしはこの日、ドニャ・マリアとシメオンが差し入れの食料を持ってくるのを、首を長くして待っていた。わたしはダッフルバッグを出来るだけ小さく折り畳んで縛り、中島氏より預かった皺くちゃの三ペソと、わたしの四枚の五〇センタボス銀貨をポケットの中で何回も何回も確かめていた。

夕方近くになってドニャ・マリアとシメオンが予定通り食べ物を差し入れに来てくれたので、わたしは食料を有りがたく受取り、ドニャ・マリアに心から礼を言い、シメオンより一足先に帰ってもらった。

彼女は老齢にも拘らず、収容所に入れられている、しがない一介の日本人苦学生のわたしのために暑い陽射しのもと、食料を差し入れにきて、帰っていく後ろ姿に後光が差しているように見えて、わたしの瞳にはいつしか涙が浮かんでいた。

わたしは前もって手懐けておいた警備の兵士にたのんで、クリニックの側面の、表からも衛兵所からも見えない場所にシメオンを誘い、有刺鉄線越しに、わたしのパン搬入の計画を細かく説明して協力するように説得した。

彼は最初は怖がって躊躇していたが、収容所内で日本人が直面している悲惨な食料事情の実態を知らせると、若者の特権である冒険心と、人間が本来備えている義侠心とが相乗したのか、明日早朝より、このパン搬入計画が実行されることになった。

わたしはシメオンに合計五ペソの金と小さく折り畳んだダッフルバッグを渡した、あとは只、真夜中を待つだけである。

わたしは早速、この計画の立案者である中島氏に計画の進捗状況を連絡した。かれは大喜びでその旨を彼の周囲にいる友人たちに知らせていた。また、わたし自身の二ペソを出資したことを伝え、中島氏に頼んで、彼の仲間から五〇センタボスの銀貨を一枚用立てて貰った。買収した警備の兵士へのコミッションに当てるためである。こればかりは翌日パンを売って代金を回収した後では都合がわるいのである。

米一俵（六三瓩）が五ペソの相場である。五〇センタボスのコミッションを警備の仲間同志三、四人で分けても大きな収入になるのである。ましてこれが一回だけではなく、われわれが日本軍に救出されるまで毎日続くのである。

パンが翌朝暗いうちに入手できるという朗報は、瞬く間に収容所の一部に広がった。この計画が成功すれば、中島氏の付近にいる人達には一個位のパンを食べるチャンスがあるだろうが、彼等にはまだ一片のパンすら口に入れてはいないが、収容されてから三日間、食事らしい食事にありつけなくて、今まで青白い顔色をし

力してみたが、最終的には工場の様子に精通している大阪バザーの若くて意気の良い連中が選ばれて行くことになった。

　その中には、わたしが、ハイスクールの野球チームでいつも対戦していた大阪バザーの野球チームのエース格であった吉岡氏や、サンタアナの大阪バザーの支店長だった左利きのキャッチャーの井門氏等、七、八名が収容所の空腹の日本人全員の期待を担って、銃をもったフィリピン人のガードマンに護衛されて出掛けていった。

　大阪バザーの飯炊き要員の選に漏れたわたしは残念でならず、わたしが残ったのに気を良くしていた兄やそのグループの連中の気持ちとは裏腹に、わたしはますます腹が空いてきたのを痛感していた。もし次の機会に炊き出し要員の要請があれば、今度こそ真っ先に応募しようと心に決めて寝苦しい三日目の夜をスタンドのベンチの上で過ごした。

　四日目の午前中に、腹が空いて元気がなかったわたしの所に、ミンタル病院の寺尾ドクターからクリニックに来るようにとの連絡を貰った。その時まで、わたしは寺尾ドクターとの面識はなかったので、一体何事が始まったのかと思った。

　風が吹き抜けて少しはしのぎいいとはいえ、銀傘の下のスタンドで無為に過ごすのも意味がないと思ったので、収容所の西側に設けられていた診療所に出掛けていった。

　ダバオの在留邦人の意思とは一切関係なしに、唐突に始まった日本とアメリカの戦争により強制的に収容所に連行されて来た日本人の全てが健康体という訳にはいかなかった。怪我をしている人々もいれば、重い病気を患っている気の毒な人々も居るし、熱帯特有の風土病で衰弱している者もきてをり、当然のことながら、医者の手当てや投薬を必要とする人達も大勢収容されていたのである。

　収容されている人々のために設置されたクリニックの建物は、元来この公立小学校の高学年の女子生徒に料理や家事、生理衛生等の家庭科を教えるために用意してあったので、診療所として活用するのには、ある程度の薬品も備えてある事だろうし、最適の処置だと思われた。

　怪訝な顔で入っていったわたしをみて温和な顔の寺尾ドクターは、わたしにクリニックに来て手伝わないかと言われた。わたしは治療や薬品に対する知識がないことと、クリニック業務に関する経験が皆無なことを述べて辞退したが、ドクターはそれを受け付けず、わたしの語学力とダバオ市内のフィリピン人との人的繋がりを理由に、強引にわたしをクリニックのメンバーに組み入れてしまった。

　考えてみれば、自由がきかない収容所のなかでは、空腹を抱えて不服を唱えるよりも、少しくらい刺激がありそうで人の役に立つクリニックで働いてみるのも悪くないと思って、わたしはドクターのところで頑張ってみようと決心した。

　寺尾ドクターが見ず知らずのわたしに白羽の矢をたてたのは、おそらく太田興業会社の野球部でキャッチャーをしていた、ドクターの弟の寺尾氏からの推挙だったのかも知れなかった。それとも過日、収容所で緊急にいくつかの便所を建てたときの、わたしのフィリピン側にたいする利用価値を評価されたのが原因だったのかもしれなかった。

　（敗戦後、日本に引き揚げてくることができ、昭和二十二年の夏頃、わたしが生活のために水石鹸の行商をして福岡県の飯岡の炭鉱町に行った際に、人間味溢れる寺尾ドクターと再会する機会に恵まれ、収容所内での尽きぬ思い出話しに時間が経つのを忘れた楽しい一時を過ごす事ができた）

　銀傘下のスタンドでわたしを待っていた兄とそのグループに、クリニックで勤務することになったことを告げ、わたしは私物が少し入っているダッフルバッグを提げて寺尾ドクターの下に戻った。

　診療所に移っても乏しい食料事情が好転するはずも無かったが、僅かな慰めは、大阪バザーの炊き出し隊が頑張っているらしく、一人当たり、一日にテーブル・スプーン一杯程度だった飯の配給が掌に乗るくらいに増えたことであった。

　診療所はポンシアノ・レイエス街に面して、低いコンクリートの塀から四〇㍍ほど芝生を隔てて建っており、そこには大きな門があるのだが、日本人収容所に変わってからは締め切ってあり、塀に沿って銃を手にした米比極東軍の兵士がのんびりと動哨していた。

　わたしに与えられた仕事としては別に何もなく、只、折に触れて収容所内を巡回し、収容された日本人の衛生に関する意見を述べることと、寺尾ドクターの指示によって機械的に動くだけであった。

　わたしは診療所の窓から表の通りを所在なさげに眺めていた。すると裾まで隠れる黒い長いドレスを着たドニャ・マリアが黒いパラソルをさして、大きなバスケットを連れの男性に提げさせて収容所の中を覗きこむようにして歩いているのが見えた。

　わたしは、早速、塀の近くを動哨している兵士に頼んでドニャ・マリアと話すことができた。

　彼女はわたしに差し入れするために、毎日この通りを何回となく流していたのだと聞くにつけ、わたしは彼女の暖かい心情に触れて、改めて彼女への尊敬と敬愛の情の認識を新たにしたのである。

　食料が入ったバスケットを提げていたのは、わたしが良く知っているシメオンという二十二、三才になるドニャ・マリアの使用人であった。彼はたまたま教務連絡のためにドニャ・マリアの家に出張してきた時に戦争が始まり、それ以来男手がない『女人の館』で護衛かたがた残留しているとのことだった。

　わたしは彼女から食べ物を、ありがたく受け取って意気揚々とクリニックに引き上げてきた。これでクリニックで働いている寺尾ドクターと四、五人のメンバーは

そのうちの一人は痩せて背が高いカウイラン教頭であり、他の一人は背が低くずんぐりとした、教室では物理を教えているベロラ教諭であった。彼はハイスクールの野球部の監督も兼任していた。背が高くがっしりした体格の教師は文学を担当していたシーカム教諭であった。

　デヴェラ校長の一行はハイスクールで学んでいる日本人の学生達が腹を空かしているのを心配して食料の差し入れに来たのだが、豊田正男氏や馬越栄一氏の姿はなく、コンスタブラリーの臨時収容所で見掛けた惨憺たる格好をしていた磯貝氏も、どこで我々とはぐれたのか付近一帯を尋ねてみたが見当たらなかった。結局わたし一人が皆の代表としてハイスクールの教職員が差し入れてくれた全ての貴重な食料を有り難く受け取った。

　デヴェラ校長は大の野球ファンで、ハイスクール野球チームの庇護者で、時には監督の任務まで引き受けてくれた。野球だけにうつつを抜かし、地方遠征やミンダナオ島大会等に出場するために、勉強や軍事訓練の方が留守勝ちになり、落第しそうになった豊田氏とわたしを無事進級させてくれた人間味溢れる、面倒見の良い校長でもあった。

　デヴェラ校長はその後、二回ほど食料の差し入れに来てくれたが、そのうちに姿を見せないようになった。収容所外の状況が変化していたのかもしれない。それとも早めに安全な場所に疎開したのかも知れなかった。わたしにとっては、それがデヴェラ校長との最後の別れだったのである。

　わたしには、デヴェラ校長からの差し入れという特別の食料が入手できたが、他の日本人は全然そのような恩恵には浴せなかった。ダバオ市内で生活していた人々の一部には、フィリピン人のメイドや友人たちが食料の差し入れに来たのを数回見受けたが、収容所の物々しい警備状態をみて恐れをなしたのか、その後、再び現れなかったようである。

　わたしはデヴェラ校長に貰った大量の食料をわたしのグループの人々と、その周辺にたむろしている人達と少しずつだが一緒に分けあって食べた。

　わたしとその周辺の人々には思いがけない臨時収入ともいうべき少量ずつの食べ物を口にすることが出来たが、他の人達にとってはまさに飢餓地獄であった。

　収容所に入って二日目の食事は夜まで待っても、午前中に配給された一回のテーブル・スプーン一杯の御飯だけであった。猛烈な苦情が沸き起こった。幾許かのペソを持っていても、収容所を出て食料の買い出しに行くこともできず、空き腹を抱えて水だけで飢えを満たしている始末であった。もしこの飢餓の状態がこれ以上続くと暴動でも起こり兼ねない雰囲気が流れていた。

　収容所内の日本人の唯一の希望は、英国やアメリカ等ＡＢＣＤ包囲国を向こうに回して戦争を始めた日本軍が、一日も早く二万人にも及ぶダバオの在留邦人を救出に来てくれることのみであった。

　三日目になっても、収容された日本人にたいする食料の配給は、一人当たりテーブル・スプーン一杯分の大豆入りの飯だけであった。収容所内の日本人の忍耐も既に限界に来ているようだった。

　三日目になって、やっとフィリピン政府の役人らしき者が数人収容所内に入ってきて混沌とした収容状態と健康状態を調査していた。彼等も収容所の不備や、食料不足の不満から起こりうる不測の事態を憂慮したのか、世事に長けた年配の日本人数名と話し合い、最優先に食料の改善をすることが約束された。

　さりとて、フィリピン政府としては、この二万人もオーバーしようという収容所の人口を十分に賄えるだけの設備も、緊急用の食料の貯蔵もある筈もなく、彼等は収容所内の日本人以上に頭を抱えていた。

　戦争が勃発する直前のダバオの日本人の人口は二万人を越えていたのである。どこに分散して収容されているにせよ、二万人の人口は二万の胃袋を意味するのである。これら全ての胃袋を満たす量の食料となると政府にとっても大問題である。

　情報により、われわれに判っていたのは、邦人の婦女子たちはダバオの日本人小学校と支那人小学校に収容されていることだった。さらにこの婦女子たちに対して、警備に当たっているフィリピン人による不当な暴行や虐待が行われているとの悪いニュースまで流れてくる有様だった。

　この情報はわたしにとっても他人ごとではないのであった。その収容所には、わたしの姉と姪三名、それに一〇人ちかい若い縫い子さん達が収容されている筈なのである。

　この二、三の収容所の収容人員を推定しても、一万二、三千人にすぎず、まだ大勢の日本人たちは地方の収容できる場所で保護されているに違いないと想像するだけであった。

　ダバオには日本人が経営する大阪貿易会社と、大力商会という食料品も日用雑貨も扱っている会社があって、彼等は大きな味噌、醤油を醸造する製造工場も設備しており、戦争が始まるまでこれら製造工場は四六時中稼働していたのである。

　当然この工場には醤油や味噌の原料の大豆や麦のストックがあり、それらを蒸すのに、必要な大きな鉄の鍋が数個設備されている。

　収容所で腹を空かしていた日本人側か、それとも食料供給の責任で困惑していたフィリピンの政府側か定かではないが、この設備とストックしてある原料を最大限に活用する案が生まれるには、それ程の時間を必要としなかった筈である。

　夕刻になって、わたしらが座っていたスタンドのなかでは、大阪貿易会社の味噌工場にいき、飯の炊き出しをする要員の募集が密かに囁かれていた。あまり大っぴらにすると全員応募する危険を犯さない配慮があったのだろう。

　わたしも人一倍若くて食べ盛りで、食い意地が張っているので、何とかして炊事要員に採用されるように努

非情のジャングル —— フィリピン戦線生き残り元日本兵（抄録）

水口博幸

さしも広いエレメンタリイ・スクールの構内も一夜明けると、一万人ちかくに膨れ上がった在留日本人男性にとって、まず不自由をきたしたのが食料と衛生施設だった。

唐突に家から連行された日本人の一部は、幾許の現金は持ってきていたとしても、何一つ購入することができず、腹が空いても水以外は何も補給することができなかった。この公立学校にも、一応、勉学する生徒たちに必要なだけの水とトイレの設備は完備していたのだが、一万人近い収容人員の要求を満たすのは不可能だった。

空腹は二、三日の間なんとか我慢できるとしても、排泄の要求だけは誰も我慢する訳にはいかないのである。

既成のトイレは午前中にパンクして、糞尿と汚水は溢れだし、その悪臭と雲霞のごとき蝿の軍団には手の施しようがなかった。

もしこの状態が早急に解決されないと、食糧不足からくる栄養失調と相俟って、収容所内に伝染病が蔓延するのは明らかであった。

このような問題に直面すると、日本人は、なかなか有能で、組織だった行動をするのである。行動力があって、且つ指導力がある有志が何人か出てきて、この難局を処理しようとした。

しかし、土を掘るにも、簡単な小屋を作るのにも、最低限の材料や道具が必要である。わたしは、この便所を設営するための一連の動きを銀傘の下で見ていたので、急遽かれらのところに顔をだし、わたしが在学中からよく知っている材料倉庫と、資材倉庫に案内したが、両方とも頑丈な錠前が掛かっていた。

一万人ちかくを収容して膨張している収容所内の日本人を、純然たる平和愛好者の群れとでも考えていたのか、いろんな突発的な問題が起こり得る筈なのに、この収容所には、フィリピン政府からの出向者としては、軍隊からの監視兵以外には誰も派遣されていなかった。

フィリピン政府にとっては予測外の、日本とアメリカの戦争勃発で、何の準備も為されていなかったのが実態であろう。

わたしは二、三人の日本人の有志たちと一緒に、この邦人収容所を警備している極東米比軍の指揮者の将校に逢って、収容所が直面している深刻な、トイレの問題を指摘して協力を頼んだ。

許可を得たわたしは勝手知ったる我が家でこそなかったが、この学校の卒業生なので、ここの建築資材、補修材料や、工具等の保管、管理事情等に精通していたので、日本人五、六人と警備兵二、三人がわたしと一緒に、学校の側に住んでいて、材料倉庫の鍵を管理している教員のところに出向いた。

年配者で背がひくくて、太っている木工工作課担当のフロレス教諭と、資材倉庫の鍵を持っている色の浅黒い農業課の責任者である痘痕面のトレンチイノ教諭の家までいって、事情を説明して、鍵の管理者である二人の教員たちと一緒に倉庫に戻り、必要な資材一式と工具類を借り受けることができた。

このような大勢の人達のためになる工事の場合には、ただ腕を拱いて傍観者の立場をとるのは、潔しとしないのが日本人の美徳である。

空腹であっても、体を動かさないと調子が悪いという、生きのいい若人たちが集まってきて、入れ代わり立ち代わり労力を提供してくれた。大きくて深い穴を掘ったり、材木で足場を作ったり、雨が降っても濡れないようにトタン屋根を張ったり、雨水が流れ込まないように排水溝を設けたり、汚水が溢れぬように囲いも作った。

日暮れまでには、トタン板張りのトイレが五、六戸ほど運動場のあちら、こちらに、夕日に映えて反射しており、その前には用を足す人々が長蛇の列を作っていた。

この日やっと政府のトラックが来て、待望の食事は配給されたが、食事とは名ばかりで分配された一人当たりの食事の量は、わずかテーブルスプーン一杯程度で、その中には大豆が一粒か二粒混入されていた。どうして、たったこれだけの量で腹の足しになるのだろうと訝かったが、フィリピン政府としては、唐突に始まった戦争で、これ以上どうにも手の打ちようがなかったのであろう。ただ収容された我々に出来ることは、腹が空かないように極力動かないようにすることだけであった。

スタンドの銀傘の下で風に吹かれて休んでいると、昼頃になって、誰かスタンドの下辺りでわたしの名前を呼んでいると、グループの一人が注意してくれたのでわたしはスタンドを降りて行った。

そこにはハイスクールでわたしが最も尊敬し信頼していたノルベルト・デヴェラ校長が四、五人の男性教員と一緒に果物やパンやケーキ等を大きな籠に山盛りに入れて持って来ていた。

主催者より

ギャラリー無量（むりょう）は、古民家を改装した現代美術のためのアートスペースである。富山県砺波市の散居村風景の中にひっそりと奥まって佇んでいて、屋敷林に囲まれた展示空間には、古い梁や柱といった伝統工法の躯体がそのまま残されている。当ギャラリーは、2013年のオープンから今日まで、同時代のアートシーンにコミットする県内外の新進気鋭のアーティストによる実験的な取り組みを多数紹介してきた。近年は、アートと社会を多角的な視点から接続する「キュレーション」の重要性に着目し、時代に呼応した新しいアートを探求するアーティストやキュレーターの実践の場として提供しようとしている。しかし、ここは人々がなかなか辿り着けない田舎のギャラリーでもある。決して若くはない夫婦が細々と運営しているのが実態である。

展覧会の情報はいろいろなところから舞い込んでくる。「これもいいかもしれない、面白そうだ」「でもなかなか見に行くことができない」「どの展覧会へ行けるのか、行けばいいのか」の選択の中で、多くの見られていない展覧会が目の前を通過していく。しかし、でも、人々はいつも新しくおもしろい展覧会を追い求めている。人は何を手がかりして展覧会場に足を向けるのだろうか。人々の移動への欲望はどこから生まれるのだろうか。

その解答（解答があるかさえわからないが）を、長谷川新の「STAYTUNE/D」に勝手に求めたい。長谷川新の今回の展示のテーマは「移動」である。アジアのフィールドに、多くの「移動」を坩堝に放り込むように展開して見せた。時間の移動、文化の移動、不本意な移動、偶発的な移動、身体の移動、さまよう移動、どれも無根拠のようでギクシャクしているように見えるかも知れないが、長谷川新にはつながりうるという確信がある。

「チューニングがうまくいけば、つながるかもしれないよ」「田舎の小さなギャラリー無量とつながるかもしれないよ」「でも、つながらなくたって悲しくはないよ」とささやく。願う。こんな優しい問いかけがあったろうか。

問いかけに応えるように多くの鑑賞者の移動が見られた。暗闇の中、彷徨いながらやっとたどり着いた方、何度となく訪れ、長時間にわたって資料を読み込まれた方。「また来ます」の言葉がありがたい。アーティストと鑑賞者の間に、新しいコミュニケーションをなりたたせるキュレーター、展覧会をより良くしたいと考えるキュレーター、展覧会場へと足を運ぶことの新たな欲望を醸成している。

キュレーションによって、今までとは全く違うようにアートを見ることができる。そのように語り継がれるギャラリー無量でありたい。多くの意欲的なキュレーターが集う、実験的な展示空間でありたい。

最後になりましたが、本展にご協力いただいた皆様に厚くお礼申し上げます。

OPEN
STAY TUNE/D
2019.10.4 FRI — 11.24 SUN 11:00 – 18:00
金・土・日・祝のみ開廊
aokid 池ノ内篤人 大和田俊 里見宗次 曽根裕 八幡亜樹
キュレーター：長谷川新

STAYTUNE/D

参加作家

aokid / 池ノ内篤人 / 大和田俊 / 里見宗次 / 曽根裕 / 八幡亜樹

展覧会

主催：ギャラリー無量
助成：公益財団法人アイスタイル芸術スポーツ振興財団
協力：金沢21世紀美術館、京都工芸繊維大学 美術工芸資料館、芸宿
会期：2019年10月4日（金）–11月24日（月） 11:00–18:00 金・土・日・祝のみ開廊
ゲストキュレーター：長谷川新
チーフインストーラー：土方大
インストーラー：足立雄亮、加藤康司、鈴木葉二
デザイン：熊谷篤史
ロゴ制作：aokid
イベントゲスト：村上裕

カタログ

2020年7月1日初版第一刷発行

執筆：熊倉一紗、黒嵜想、佐原しおり
特別掲載：水口博幸
編集：長谷川新、増田千恵
編集補：清水泰介
デザイン：熊谷篤史
翻訳：長谷川祐輔（佐原論考英訳）
　　　福冨渉（熊倉論考タイ語訳）
　　　大和田俊（黒嵜論考英訳／大岩雄典、長谷川新が校正）

撮影
インスタレーションビュー、パフォーマンス記録、小西夫妻ポートレート：奥祐司
搬入風景：ギャラリー無量
池ノ内篤人：守屋友樹、岡はるか（アシスタント）、日本写真印刷株式会社（一部フィルム提供）
aokid：石原新一郎、comuramai、橋本麻希、aokid（ヒッチハイク）
大和田俊：奥祐司（ポートレート）、冨田了平、高橋健治、熊谷篤史

特別協力：佐藤篤子、二見あい子、水口登起子

印刷・製本：株式会社グラフィック
発行：this and that

ISBN978-4-9910062-1-0 C0070

Printed in JAPAN